JUN 21

Наталья
Александрова

Наталья Александрова

Веер княгини Юсуповой

Издательство АСТ
МОСКВА

УДК 821.161.1-312.4
ББК 84(2Рос=Рус)6-44
А46

Оформление *Анастасии Орловой*

Александрова, Наталья.

А46   Веер княгини Юсуповой : [роман] / Наталья
Александрова. — Москва : Издательство АСТ,
2020. — 320 с. — (Роковой артефакт).

ISBN 978-5-17-122009-9

Богатство представителей рода Юсуповых пора-
жало воображение даже членов императорской фамилии. Однако, эмигрировав из революционной России,
самый знаменитый из Юсуповых, Феликс Феликсович,
смог вывезти за границу лишь малую долю драгоценностей и предметов искусства, которыми владела его
семья. Основная же часть несметных сокровищ была
надежно сокрыта…

В наши дни в руки питерской домохозяйки Надежды Лебедевой попадает часть зашифрованной записки,
адресованной князем Юсуповым неизвестному лицу,
речь в которой идет о какой-то ценной вещи.

Любительница разного рода загадок, Надежда Николаевна посчитала делом чести восстановить недостающую часть таинственной записки и, возможно, отыскать тайник князей Юсуповых.

УДК 821.161.1-312.4
ББК 84(2Рос=Рус)6-44

ISBN 978-5-17-122009-9

«Чертог сиял»! — усмехнувшись про себя, вспомнила Надежда слова классика.

И действительно, общий зал ресторана, где они с институтскими друзьями отмечали очередную годовщину получения дипломов, выглядел очень эффектно. Огромная люстра под потолком, излучавшая теплый золотистый свет, многочисленные бра на стенах и зеркала между ними — все такое золоченое, помпезное и блестящее. От яркого света болели глаза. К тому же звучала громкая музыка, так что приходилось кричать, чтобы услышать собеседника. Хорошо, что их компания сидела в отдельном зале.

Народу пришло не слишком много — дата была не круглая, отмечать не собирались, но приехал Димка Шапиро из Израиля и захотел всех видеть. Дескать, отдельно к каждому в гости ходить у него времени нет, скоро в Москву уезжает, лекции в Вышке читать, а так все же повидаются.

Тут как раз и вспомнили про этот ресторан, потому что его хозяином был тоже их бывший однокурсник Леня Белугин. Вот повезло человеку — разбогател! Парочка раскрученных ресторанов, кафе, магазины... Ну, Надежда была независтливой, это все знали, тем более что выглядел Ленька так себе. Даже со всеми за столом не посидел: зашел ненадолго, пару рюмок выпил, сказал: «У меня встреча важная», да и побежал по делам. Упакован он был, конечно, по высшему разряду. Часы, ботинки — супер, Надежда хоть и не слишком хорошо в этом разбирается, но Люська шепнула, что дорогущие. Про костюм и речи не шло — не иначе как в Лондоне сшит. Но было видно, что устает Ленька сильно — худой, под глазами синяки... Да, бизнес требует забот.

Мысли Надежды перетекли к ее собственному мужу. Сан Саныч тоже много работал, и с этим уж ничего не поделаешь — такая нынче жизнь. А ее долг — заботиться о муже как можно лучше. Надежда бы и рада, да только Сан Саныч часто уезжал в командировки. Вот и сейчас срочно улетел в Нижний Новгород, иначе она ни в какой ресторан не пошла бы, тем более что встреча получилась спонтанная и народ собрался не то чтобы случайный, но и не близкие друзья, а так, кого нашли из всего потока.

Организовала все Люська Симакова, очень деятельная натура. Надежда с ней в последнее время довольно часто общалась, с тех пор как им вместе пришлось помогать общей подружке выпутываться из сложной ситуации*.

Грянуло какое-то бойкое ретро, и посетители бросились танцевать. Надежда поскорее скользнула в небольшой «аппендикс» в углу, где стояли парочка кресел, низкий столик, непонятного вида растение в кадке, а также узкое зеркало в резной раме.

Судя по всему, это был уголок отдыха или что там дизайнер имел в виду. По крайней мере, музыка здесь звучала тише, и если люди хотели поговорить, то вполне могли здесь уединиться.

Надежда не хотела ни с кем разговаривать, она хотела поскорее разуться. Вот угораздило ее надеть сегодня новые туфли! Впрочем, куплены они были как раз для таких торжественных случаев: подметка тонкая, каблук высокий, летом по улице в таких недолго проходишь, живо ноги стопчешь. Да и к новому платью туфли подходили идеально.

Тут, среди старых, как говорится, заклятых подруг только дай слабину, оденься поскромнее — сразу пойдут разговоры, что у нее, Надежды, дела плохи и денег совсем нет, если старую обувь донашивает. А у нее все было хорошо, только правая туфля жала и что-то кололо.

Надежда сняла туфлю и придирчиво исследовала ее с внутренней стороны. Вроде бы все

---

* Читайте роман Н. Александровой «Браслет императрицы».

нормально... Ах, вот в чем дело! Она потрясла туфлю, и на руку ей упал крошечный камешек с острыми краями. Ну надо же, как он туда попал?..

Надежда выбросила его в горшок с непонятным растением, и в этот момент в уголок вошел Витька Сизов. Вернее, это они между собой так всех называли — Витька, Петька, а так-то он, небось, уже Виктор... Надежда осознала, что не помнит его отчества. Да и зачем ей?

Она улыбнулась Виктору приветливо, но отстраненно, потому что успела заметить, что у него слишком блестят глаза. Стало быть, выпил прилично. А с пьяным мужчиной лучше не оставаться наедине, он может позволить себе лишнее, потом самому же будет неудобно.

Надежда хотела встать, но Виктор не позволил ей этого, взял туфлю из ее рук и наклонился недопустимо близко.

— Витя... — Надежда попыталась отстраниться, но мешала спинка кресла.

А Виктор встал перед ней на колени и, смеясь, сказал:

— Уж побудь Золушкой ненадолго!

Мимоходом Надежда порадовалась, что туфли новые, а стало быть, не стоптанные, не разношенные и пахнут только кожей и ничем больше. Но все же ситуация ей очень не нравилась. Не хватало еще, чтобы кто-нибудь их тут увидел, потом разговоров не оберешься.

— Витя, остановись! — она решительно потянула из его рук туфлю. — Ни к чему это.

— Ну что ты, Надя, я так рад снова тебя увидеть... как прежде, как в молодости... — его глаза были совсем близко, и Надежда заметила в них что-то непонятное, незнакомое.

Насколько она помнила, Витька никогда ни на кого так не смотрел. Даже в юности. Странные какие-то были у него глаза... «Впрочем, люди меняются», — неуверенно подумала Надежда и окончательно завладела туфлей.

— Ты что, Надюша, неужели забыла, что у нас с тобой на втором курсе было? — плотоядно хохотнул Виктор, но все же отдвинулся на пару сантиметров.

«Ничего у нас с ним никогда не было, — изумилась Надежда. — Даже в кино вдвоем ни разу не сходили...»

Витя Сизов, насколько она помнила, был серьезным, обстоятельным, учился с большим желанием, по вечеринкам и дискотекам не расхаживал, лекции не прогуливал и за девчонками не бегал. Теперь таких называют ботаниками. А на последнем курсе женился на Галке Соломатиной. Поскольку учился он в параллельной группе, Надежда на свадьбе у них не была, не слишком близко они дружили. И потом встречались от случая к случаю, вот как сегодня.

Вспомнив, что Галка, теперь уже Сизова, тоже присутствует на сегодняшней встрече, Надежда сделала титаническое усилие и умудрилась встать с кресла, отпихнув Витьку. Он продолжал стоять на коленях, но уже не в такой опасной близости от Надежды.

— Да вставай ты! — Надежда рассердилась, чувствуя себя с босой ногой полной дурой.

Тут кто-то у нее за спиной негромко кашлянул, и, обернувшись, Надежда увидела Галину Сизову, которая стояла в проеме и очень пристально смотрела на них.

«Вот черт... — подумала Надежда, — черт, черт, черт... Только этого не хватало», но мигом вспомнила, что в любой ситуации не надо терять лицо, и широко улыбнулась.

— Привет! — пропела она жизнерадостно. — Далеко сидели, поговорить даже не успели. Хорошо, что музыку здесь не очень слышно. Как вы, ребята, живете?

— Витя, иди к остальным, там горячее подают, — бросила Галина, не глядя на мужа.

Он поднялся с колен чуть покряхтывая, и Надежда с легким злорадством отметила: «Сам уже с пола с трудом встает, а туда же! Приставать ко мне вздумал!» Виктор молча прошел мимо жены, причем Галина умудрилась мимоходом почистить ему костюм и поправить воротничок голубой рубашки, а затем устало опустилась в кресло и откинула голову.

— Что, приставал к тебе? — спросила она глухо.

— Ну... — Надежда смутилась, — да вроде бы нет... так, поговорили просто...

— Да ладно, я же знаю, что приставал! — заявила Галина, но увидев, что Надежда надела туфлю, подхватилась и собралась уже ретироваться от греха подальше, с досадой бросила: — Да не парься ты!

Знакомы они с Галкой были давно, но близко никогда не дружили. Кто их знает, этих Сизовых! Может, у них такие ролевые игры: он пристает к женщинам, а она скандалы устраивает на людях. Скучно стало за долгие годы брака, вот и развлекаются. Вдруг сейчас Галка вцепится ей в волосы или выцарапает глаза? Нет, на такое Надежда не подписывалась.

— Да не беги ты, драться не буду! — Галина будто прочитала ее мысли. — Это у него после инсульта.

Надежда снова плюхнулась в кресло.

— Чего? — разинула она рот. — Ты что несешь-то?

— То и несу, — покачала головой Галина. — Инсульт у Виктора был в прошлом году. Тяжелый. Долго в больнице лежал, потом реабилитацию проходил в Сестрорецке... — Она тяжело вздохнула и продолжила: — Восстановился полностью, на работу его выписали, да только вот такие неожиданные последствия. Начал он к женщинам приставать, прямо ко всем подряд — независимо от возраста или внешности. Сначала соседи на меня коситься стали, потом на работе пара скандалов случилась... Ну, сама знаешь, как сейчас к этому относятся: чуть что — про сексуальные домогательства кричат. Так вот одна дура судом пригрозила, ну, я, конечно, к врачу кинулась, который его лечил, — так, мол, и так. Он снова его обследовал, сказал, что с Виктором все в порядке, приборы показали: здоров, а от себя добавил, что в голове у него что-то перекли-нило, но, вполне возможно, со временем само пройдет. А может, и не пройдет. Врач ничего не обещал и ничем помочь уже был не в состоянии.

— Ужас какой! — совершенно искренне сказала Надежда. — То-то я смотрю — не то с ним что-то. Никогда Витька бабником не был, а тут... Как же вы теперь?..

— Да как... — Галка горько вздохнула. — На работе начальник навстречу пошел, разрешил дома работать... — Она опять вздохнула. — Витя — программист хороший, его ценят. Соседи все в курсе, женщины стараются с ним в лифте не ездить и не разговаривать. С друзьями, даже близкими, не общаемся после того, как муж моей подруги морду ему чуть не набил. Она-то все правильно поняла, не обиделась, а мужику разве что объяснишь? Приревновал. Так и ей еще досталось. Она мне прямо сказала, что ей семейная жизнь дороже. Вот так вот... Устала я, Надя, не представляешь как...

— Может, пройдет у него это? — Надежда жалостливо притронулась к Галкиной руке и осознала, какая она худая. И платье это, если честно, висело на ней как на вешалке и из моды давно вышло. Но откуда ей новое-то взять? Небось все деньги, что были, на лечение мужа ушли.

— Ой, и не знаю даже. Иногда руки опускаются. В кои-то веки в люди выбрались, а то он все дома в четырех стенах с компьютером, от этого тоже пользы не много, и вот опять...

Надежда молчала, потому что сказать было нечего.

— Ой, что это я сижу, как бы он там снова дров не наломал! Не все такие, как ты, деликатные, еще ругаться начнут... — с этими словами Галина убежала, стуча каблуками.

Надежда вздохнула и посидела еще немного. Галкина история ее так расстроила, что не хотелось никого видеть. И горячего не хотелось. Может, попросить в баре кофе да и уйти по-английски? Деньги они заранее сдали, Леня еще старым друзьям скидку приличную сделал. Люська говорила, что так-то у них дорого, уж больно ресторан пафосный.

Она достала пудреницу и подкрасила губы. Затем причесалась и решила уйти, даже не выпив кофе. Но не тут-то было. В проеме снова показался человек, которого она вовсе не хотела видеть, и Надежда мысленно застонала: «Вот оно...» Вот то, чего она не то чтобы боялась, но очень опасалась.

Бывший муж. Ну да. Где же ему еще быть, когда они учились на одном потоке? Сто лет не виделись. Хоть и развелись очень давно, и вроде бы по-хорошему, без скандалов, но все же видеть его было не слишком приятно.

Когда же они встречались последний раз? У дочки на свадьбе, точно. А это когда было-то... Уж внучке Светланке двенадцать лет скоро, так что выходит...

— Здравствуй, Надя, — сказал бывший хрипло.

— И тебе не болеть... — ответила Надежда осторожно.

Когда он подошел совсем близко, ее подозрения оправдались: точно пьян, причем прилично набрался. В свое время она не любила, когда он был выпившим. Иной мужчина, хлебнув лишку, становится веселым, расслабленным, кто-то поет, кто-то шутками-прибаутками сыплет, а бывший муж сразу мрачнел, взгляд становился тяжелым: бывало, стиснет зубы и смотрит исподлобья, только желваки на скулах ходят. Отец его таким же был, только Надежда свекра мало знала, он давно умер.

Как поженились да дочка через год родилась, Надежде некогда было особенно задумываться. Не сразу она поняла, что не за того замуж вышла, что никак они вместе не уживутся. Да еще свекровь, уж не тем будь помянута, свою лепту внесла. Не то чтобы она Надежду ненавидела, поначалу-то и приняла неплохо, но вечно в их жизнь совалась и постоянно ворчала: все ей не так да не эдак. Уж Надежда по первости старалась угодить как могла, но... молодость есть молодость, стала мужу жаловаться, а он в ответ говорил: «Мать мою не трогай, я с ней всю жизнь прожил, а с тобой всего-то несколько лет. И неясно еще, как долго мы с тобой проживем». Это у него шутки были такие, но Надежда обижалась до слез.

Так бы все и тянулось, если бы не дошли до Надежды слухи, что летом, пока она с дочкой на даче была... В общем, история банальная, и если бы брак у них был крепкий да любили бы они друг друга, то на такие вещи и внимания обращать не стоило бы. А так...

Надежда подумала-подумала да и подала на развод. А бывший не особенно-то ее и удерживал. На коленях не стоял, в грудь себя кулаком не бил, клятв никаких не давал. «Раз так, — сказал, — то и пожалуйста». Это свекровь ему напела: прибежит, мол, куда она с ребенком одна денется... Ну, плохо они оба Надежду знали. Бегать туда-сюда не в ее правилах.

В общем, все как-то устроилось, Алена тогда как раз в школу пошла. Трудновато было Надежде, но ничего, выдержала. Свекровь, когда поняла, что насовсем они развелись, приезжала отношения выяснять, прощения даже просила. Надежда с ней ругаться не стала — глупо помнить прошлые обиды, но вот с мужем старалась не встречаться. А уж когда Алена своей семьей жить стала и Надежда сама замуж вышла, то и вовсе про бывшего забыла. И вот встретились.

— Пока смотрел на тебя из коридора, — бывший сделал шаг вперед, — все думал: неужели эту женщину я любил? Просто не верится сейчас, до того ты изменилась.

Ну да, подумала Надежда с тоской, такое за ним тоже водилось — любил гадость сказать. Причем вовсе не заслуженно. Вот что она ему сейчас-то сделала?

«Правильно я с ним развелась», — чуть не произнесла Надежда вслух, но вовремя одумалась. Он ответит в том же духе, и дело кончится тем, что они разругаются. Из-за ерунды какой-то.

И зачем это все? У людей вон какие несчастья случаются, бедная Галка...

— Такая любовь была, просто страсть! — между тем с пафосом продолжал бывший.

— Да какая там страсть, — рассмеялась Надежда. — Что мы тогда в этом понимали? Все правильно мы сделали, и не говори, что ты жалеешь. Дочка хорошая получилась, внучка растет. У тебя тоже все хорошо, жена, сын... Чем ты недоволен-то?

— Сам не знаю... — Он потер лоб, удивленный ее спокойным тоном. — Извини, выпил лишнего, что ли...

Это была новость: раньше он никогда не извинялся. Надежда уже хотела распрощаться по-хорошему и уйти, но в эту минуту раздался крик.

Не обычный возглас раздражения или недовольства, а резкий, истерический, режущий уши визг, переходящий в ультразвук. По этой захлебывающейся, безумной интонации Надежда поняла, что случилось что-то из ряда вон выходящее, и ноги сами понесли ее на этот звук.

Она оказалась в одном из банкетных залов ресторана, который, в отличие от других, был не подготовлен к приему гостей: стол сдвинут к стене, стулья составлены в углу, а в центре, совсем не к месту, одиноко стоял диван, обитый оранжевой кожей.

В небольшом помещении столпилось человек двадцать, которые стояли плотно, плечом к плечу, и зачарованно смотрели на что-то, расположенное как раз у дивана. Именно оттуда, со стороны дивана, доносился визг, который услышала Надежда. Она протиснулась между сгрудившимися людьми и тоже увидела *это*.

Центр зала был пуст — словно зеваки не могли переступить какую-то невидимую черту, как сказочная нечисть в замечательном фильме «Вий» не могла пересечь нарисованный мелом круг. Только вместо Хомы Брута в импровизированном круге находилось четыре человека. Двое из них — женщина в окровавленном шелковом платье персикового цвета и мужчина в темно-синем костюме и голубой, тоже окровавленной рубашке — лежали на полу. Еще одна женщина, в длинном бирюзовом платье, стояла на коленях рядом с мужчиной и держала его за руку, видимо пытаясь нащупать пульс. И наконец, четвертая — полноватая шатенка средних лет в обтягивающем цветастом платье — стояла чуть поодаль, размахивала руками и не переставая визжала.

Таково было первое впечатление, а вникнуть в детали мешал непрекращающийся визг, который ввинчивался в мозг Надежды, как ржавый штопор в винную пробку.

Через несколько секунд какой-то решительный мужчина подошел к шатенке и ударил ее по щеке. Женщина тут же замолчала, как будто ее выключили, и удивленно захлопала глазами, словно безуспешно пытаясь понять, кто она такая и где находится.

Наступила оглушительная тишина, и Надежда наконец-то смогла осознать увиденное.

Она сразу поняла три важные вещи.

Во-первых, женщина в окровавленном шелковом платье, несомненно, мертва. Об этом говорили ее неестественная поза, широко открытые, невидящие глаза, но в первую очередь — торчащая из груди рукоятка ножа.

Во-вторых, лежащий рядом с ней мужчина жив — он застонал и пошевелился.

И в-третьих, этим мужчиной был не кто иной, как Витька Сизов, который несколько минут назад стоял перед Надеждой на коленях и утверждал, что когда-то давно у них что-то было.

Рядом с Виктором на коленях стояла его жена, и руки у нее были в крови. И бирюзовое платье тоже. «Теперь она его выбросит, — машинально подумала Надежда, — потому что ни одна химчистка не примет», но тут же устыдилась своих мыслей. Нашла о чем думать! Тут дела поважнее.

В эту секунду шатенка, которая только что оглушительно визжала, вздрогнула, завертела головой и вдруг снова застыла, пристально глядя на что-то или на кого-то. Проследив за ее взглядом, Надежда поняла, что шатенка смотрит не на мертвую блондинку, не на раненого Виктора, а на вполне живую Галину. И в следующее мгновение всякие сомнения в этом отпали, потому что шатенка подняла руку и, ткнув в Галину указующим перстом с длинным, ярко-алым ногтем, проговорила дрожащим голосом:

— Она! Она!..

В это время толпа раздвинулась, пропуская вперед, в ту самую заколдованную зону вокруг трупа, двух новых персонажей. Одним из них был Леонид Белугин, владелец ресторана, а вот второго — неприметного худощавого мужчину в мятом, плохо сидящем темном костюме — Надежда прежде не видела.

Скучающий, равнодушный взгляд, которым он скользнул по трупу и остальным участникам мизансцены, а также выражение усталой самоуверенности во всем его облике не оставили у Надежды сомнений в том, что это полицейский. Причем не рядовой полицейский, а хоть и не большой, но все же начальник.

Неприметный мужчина оглядел присутствующих и усталым, но самоуверенным голосом, вполне подходящим к его облику, проговорил:

— Кто нашел тело?

Большинство зевак при одном только звуке его голоса утратили интерес к происходящему и попытались незаметно выскользнуть из помещения. Однако полицейский с той же усталой самоуверенностью (а может быть, самоуверенной усталостью) произнес:

— Никого из ресторана не выпустят. До тех пор, пока мы всех не опросим и не возьмем координаты.

Белугин доверительно склонился к самому уху полицейского и что-то в него зашептал. Полицейский выслушал его с усталой благосклонностью, кивнул и добавил:

— Мы постараемся сделать это как можно быстрее. И чем скорее вы ответите на наши вопросы, тем скорее освободитесь. Так все же кто обнаружил тело?

— Я! Я! — выкрикнула визгливая шатенка и даже подпрыгнула на месте от переполнявшего ее возбуждения.

— Вы? — полицейский повернулся к ней всем телом и склонил голову набок, словно хотел как следует разглядеть.

— Да, я!

— А эта... гражданка? — полицейский указал глазами на Галину, которая все еще стояла на коленях около мужа и как бы не замечала происходящее вокруг. — Она здесь уже была?

— Была! Была! — Шатенка набрала полную грудь воздуха и продолжила: — Конечно, была! Ведь это она и сделала!

— Да? — Полицейский постарался сохранить усталое спокойствие, и это ему почти удалось. — Вы уверены?

— Уверена! Уверена! Конечно, уверена!

— То есть... вы при этом непосредственно присутствовали? Вы видели, как она убила... потерпевшую?

В его глазах вспыхнул осторожный интерес.

Шатенка на мгновение замерла, как бы колеблясь между доверием к собственным чувствам и некими более высокими соображениями, но все же слегка потупилась и признала:

— Нет, не видела.

— Но тогда почему вы в этом так уверены?

— А кто же еще? Ведь она — его жена...

— Что-то я не понимаю... при чем тут это? Какое отношение к убийству имеют их семейные отношения?

— Ну как же! — Шатенка осторожно приблизилась к полицейскому, склонила голову набок, как он до этого, и доверительным жестом сняла с его плеча невидимую пушинку. — Неужели вы не понимаете? Хотя, конечно, вы же мужчина...

Эти слова прозвучали до обидного снисходительно, на что полицейский не замедлил отреагировать. Он подобрался, отступил на полшага, нахмурился и процедил:

— Поясните!

— Ну как же! Она приревновала мужа... она... э-э... застала его с этой женщиной и не сдержалась... ее убила, а мужа оглушила... говорю же — не сдержалась!

— Откуда вы знаете? Вы же этого не видели, вы же вошли сюда после того, как все произошло?

— А он ко всем приставал! — сообщила шатенка. — Ну, то есть ко всем интересным женщинам. Ко мне, например... — при этих словах она кокетливым жестом поправила волосы и похлопала ресницами, что выглядело довольно смешно. — Но я, конечно, была непоколебима... то есть непоколебима...

Надежда увидела, с какой жалостью и заботой Галина склонилась над Виктором... Нет, не могла она его оглушить, даже в порыве ревности. Кроме того, Надежда вспомнила, о чем совсем недавно рассказывала Галка, и подумала, что, если бы та убивала всех женщин, к которым приближался ее муж, сейчас в ресторане лежал бы не один труп. Здесь был бы филиал городского морга. Да и не только в ресторане. Галина поубивала бы всех соседей и бывших коллег Виктора. Какую чушь городит эта баба! И ведь так уверенно — дескать, точно знает. Неужели этот полицейский ей поверит?

Прибыла «скорая». Врач осмотрел Виктора, дал ему что-то понюхать, после чего тот потряс головой и обвел всех мутным взглядом. Даже Надежда издалека поняла, что он еще не пришел в себя и никого не узнает. Галина кинулась было к мужу, но полицейский придержал ее твердой рукой. Тут подоспели санитары с носилками, Виктора погрузили и унесли, при этом Надежда заметила, что Белугин сунул что-то в карман врачу. Все ясно, денег дал, чтобы в приличную больницу везли. Молодец, что сообразил. А то отвезут в какой-нибудь гадючник, где одни алкаши да бомжи, которые бутылку бормотухи не поделили, вот кому-то по голове этой бутылкой и досталось.

Оставшихся посетителей полицейский разделил умелой рукой, как пастух свое стадо, а его подчиненные начали опрос. Ничего особенного не спрашивали, только фамилию и адрес, проверяли документы, у кого были с собой, и вежливо просили указать, кто где находился, когда раздался визг шатенки в цветастом платье.

Компания Надежды в основном была в банкетном зале, за исключением Люси Симаковой, которая застряла в туалете, и двух курильщиков, которые вышли на улицу. Надежда честно сказала, что сидела в уголке для отдыха, и сослалась на бывшего. Он подтвердил, что так оно и было.

— Вот и алиби друг другу устроили, — вполголоса усмехнулся он.

Надежда посмотрела на него в упор. Интонация, с которой он это сказал, ее озадачила. Странная какая-то интонация, осторожная, что ли, а еще... еще беспокойная. Вот именно! Хоть и усмехался бывший муж, хоть и хорохорился, а в его словах Надежда услышала глубоко спрятанный страх. Ведь они прожили больше восьми лет, и она очень хорошо его знала. К тому же Надежда была твердо уверена, что люди со временем не меняются. Если девчонка в школе была занудой, то такой на всю жизнь и останется. И если в институте учился мерзавец, пусть и тихоня, то потом характер обязательно проявится. Просто в юности такие вещи не всегда замечаешь.

Ничего особенно плохого про своего бывшего Надежда сказать не могла. Ну, характер скверный, так это как посмотреть. Ведь живет же с ним его нынешняя жена, причем много лет...

Надежда задумалась. Что-то не давало ей покоя, какая-то деталь. Важная мысль мелькнула на поверхности сознания — и тут же ушла в глубину, как большая темная рыба.

Надежда вздрогнула и опомнилась.

Люди вокруг разошлись, а полицейский вел за локоть Галину Сизову. Галина шла, послушно переставляя ноги, в глазах ее была пустота и странное безразличие к собственной судьбе.

Когда она выходила из помещения, ее взгляд на мгновение остановился на Надежде — и тут в глубине ее глаз на мгновение вспыхнуло какое-то сильное чувство... Что это было?

— Куда ее ведут? — спросила Надежда случайно оказавшуюся рядом Люсю Симакову.

— Как — куда? — Люся взглянула удивленно. — В отделение полиции, куда же еще. Арестовали нашу Галку...

— Арестовали? — переспросила Надежда.

— Ну, или не арестовали, а задержали по подозрению... не знаю точно, как это у них называется.

— Но я не могу поверить... Только на основании слов этой бабы в цветочек?

— Вот и я не могу. Знаешь что... мы тут поговорили... — в голосе и взгляде Люси явственно читалось смущение.

Надежда насторожилась.

— Поговорили? — переспросила она. — Когда это вы успели? И кто это «мы»?

— Ну, мы... Димка Шапиро, еще кое-кто из наших ребят. Никто не верит, что Галка человека убила. Ну, и решили ей помочь. На адвоката скинуться, и вообще...

— Ну, это конечно! — оживилась Надежда и полезла за кошельком. — Я тоже поучаствую... Кому сдавать-то?

— Тебе на карточку переведут, кто сколько может. Ты же говорила, что у тебя соседка старая адвокатша, вот пусть она и порекомендует приличного человека, а то можно так нарваться.

Точно, жила в соседнем подъезде Вероника Павловна, которая по причине возраста отошла от дел, но советом всегда могла помочь, да и связи профессиональные у нее остались.

— Найду! — пообещала Надежда. — Толкового адвоката непременно найду! — И записала на листочке номер своей карты.

— Спасибо! — Люся спрятала бумажку в карман. — Но, Надя, ты еще по-другому помоги.

— Что значит — по-другому? — нахмурилась Надежда. — Людмила, что ты еще задумала?

— Я — ничего, — Люська отвела глаза, — но ребята... в общем, ты должна взять расследование этого дела на себя. Надя, ты же это умеешь, ты столько дел расследовала!

Выпалив эти слова, Люська на всякий случай отошла в сторонку, потому что уже знала, что сейчас будет.

— Да? — обманчиво-спокойно спросила Надежда. — А скажи, пожалуйста, откуда, интересно, они узнали, что я кое-какие дела расследовала? Я, знаешь, рекламу в Интернете не даю и на всех углах про себя не кричу! И в газетах обо мне не пишут!

— Ну ладно, — неожиданно быстро согласилась Люся, — ну, может, и от меня они узнали. Хотя слухи и так ходят...

— Люська, ну просила же не болтать! — простонала Надежда. — Ну, знаешь же, как мне важно, чтобы Саша ни о чем не узнал, ведь он такое устроит, до развода дело дойти может!

— Слушай, — твердо сказала Люська, — с мужем ты как-нибудь разберешься, а Галке нужно помочь. Сама знаешь, как у них: есть готовый подозреваемый, так они и разбираться не станут. Зачем кого-то другого искать...

Надежда вспомнила, каким взглядом посмотрела на нее Галина, когда ее уводили, и устыдилась. Ведь она о помощи просила, больше не к кому ей было обратиться... Сама же говорила, что со всеми друзьями и даже с соседями рассорилась из-за того, что Витька к женщинам приставал.

— Ты же не веришь, что она из ревности ту бабу убила... — продолжала Люся. — Ведь это же просто смешно.

— А ты знала... про Витьку-то?

— Да знала, конечно, — Люся с досадой махнула рукой, — как-то встретились с Галкой на Манежной площади, она там работала недалеко. Я ее и уговорила сюда прийти... думала, отвлечется немного, развеется... ох, не в добрый час!

Наконец-то всем разрешили уйти. В небольшом помещении перед гардеробом скопилась толпа, и Надежда решила переждать давку.

В помощь гардеробщику вызвали официанта, и раздача верхней одежды шла довольно быстро. Посетители так настрадались, что одевались мгновенно: дамы не красили губы и не вертелись перед зеркалом, мужчины едва всовывали руки в рукава пальто и выскакивали на улицу.

— Ну, погуляли... — протянул бывший муж, снова оказавшийся рядом с Надеждой.

— Да уж...

— Пропустите меня, пропустите! — раздался противный голос, и мимо Надежды, ощутимо толкнув ее, протиснулась та самая шатенка в цветастом платье, для которой этот день стал днем наивысшего торжества. Как видно, она решила, что сегодня ей можно все.

Пахнуло слишком пряными духами, так что Надежда едва не чихнула. Однако от нее не укрылась паника, заплескавшаяся в глазах бывшего. Он дернулся и отпрянул за Надежду.

Шатенка без очереди получила норковый полушубок подозрительного рыжего цвета (кто сейчас такие носит?) и ушла, запахнувшись в него, как будто это была королевская горностаевая мантия. То есть ей так казалось, хотя на самом деле все выглядело довольно жалко.

— Ну, пора и нам. — Надежда заметила, что очередь поредела, но ее спутник не двигался с места.

— Ты что, ночевать тут собрался? — спросила Надежда, кивая на прощание Люсе и Димке Шапиро. Остальные уже ушли.

— Ну-у...

— Вот что, дорогой, — строго сказала Надежда, — я ведь не отстану, так что колись: что это с тобой? Отчего ты дергаешься, как заяц в поле, и трясешься, как мышь под веником.

— Тебе какое дело? — Бывший сделал попытку вырваться, но тут же понял, что ему это не удастся. Как-никак он тоже хорошо знал свою бывшую жену.

Тут подошла их очередь, он подал Надежде пальто и вышел вслед за ней.

— Черт, как скверно все вышло... — буркнул он. — Понимаешь, я эту бабу когда-то знал.

— Кого? Убитую блондинку?

— Да нет, ту, другую, которая ее нашла.

— Шатенку в жутких цветах? — изумилась Надежда.

— Ага. Понимаешь, когда-то я в одной фирме работал, ну, она там бухгалтером была...

— И у тебя с ней что-то такое было... — Надежда сообразила, что если бы это была просто знакомая, он бы так не боялся встречи.

— Да не с ней... ну, в общем, это неважно...

— А чего ты тогда так ее боишься?

— Потому что... там тогда ужасная история случилась, прямо криминальная, и дошло до моей жены...

— Что дошло — про твой роман с сослуживицей?

— И это тоже, но еще много всего...

— Так чего ты ее так боишься?

— Да ведь как все получилось-то: позвонила моей жене какая-то баба с работы. И вот я думаю, что это именно она была, — бывший кивнул в сторону, куда удалилась тетка в рыжем норковом полушубке. — Потому что она такая стерва... а мы с ней как раз накануне поскандалили сильно. В общем, мужу моей... ну, в общем, этой... тоже наступали. Со своей женой я как-то разобрался, а ту муж бросил.

— Любовницу твою?

— Да не любовницу! А так... ничего особенного у нас с ней и не было... — бывший отвернулся, — но развелись они, она потом мне звонила... в общем, нервов убил на это дело ужас сколько...

«Как от меня он гулял, так и от второй жены гуляет, — подумала Надежда сердито. — Ох, верно все-таки говорят, что горбатого могила исправит!»

Тут подъехало Надеждино такси, и бывшие супруги распрощались; кстати, довольно холодно.

Утро началось со звонка мужа. Так уж у них повелось: муж из командировки звонил каждый день. Кто-то может подумать: какие там новости? А им было интересно все узнать друг про друга, да и просто голос послушать. Надежда звонками никогда не манкировала, всегда радовалась и говорила, что скучает и с нетерпением ждет возвращения Сан Саныча. Так оно и было, но иногда неожиданно подворачивалось какое-нибудь расследование, которое требовалось держать в секрете, так что отсутствие мужа было весьма кстати.

Как уже говорилось, Сан Саныч криминальные расследования жены очень не одобрял, говорил, что это опасно и когда-нибудь кончится плохо. Так что Надежда тщательно следила, чтобы он ничего не заподозрил.

Это было нелегко, потому что муж был умным и проницательным, но не родился еще тот мужчина, которого жена не смогла бы обвести вокруг пальца и не задурила бы ему голову. При надлежащем старании, конечно.

Сан Саныч поинтересовался, как прошла встреча институтских друзей, и Надежда замешкалась с ответом.

— Что-то не так? — тотчас отреагировал муж.

Надежда ответила, что все прошло хорошо, ресторан шикарный, кормили неплохо, и долго расписывала, какой Димка Шапиро стал крутой и преуспевающий. Про убийство неизвестной блондинки она, ясное дело, промолчала.

Потом позвонила Люся Симакова и сообщила бодрым голосом, что все устраивается как нельзя лучше: в ресторане администратором работает жена Лени Белугина, и она ответит на все вопросы Надежды: муж так велел. Зовут ее Алина Сергеевна, и на месте она бывает часов с одиннадцати.

Надежда только вздохнула и стала собираться. Муж сказал, что надолго в Нижнем не задержится, так что рассиживаться было некогда, надо было успеть до его возвращения.

Уже возле двери ее настиг звонок Димы Шапиро.

— Надя, я в Москву уезжаю, деньги на карточку тебе перевел, через три дня вернусь, если что надо — обращайся. И не удивляйся, могу себе позволить...

Надежда проверила, поступили ли деньги, и слегка обалдела от суммы.

«И раньше Димка отличным парнем был, — подумала она, — сам в учебе соображал круто и никогда помочь не отказывался, девчонок дурами не считал, не заносился, презрительно не смотрел...»

Погода нынче стояла не то чтобы хорошая — когда это в нашем городе была настоящая зима? — но все же не было ни дождя, ни мокрого снега, и ветер не сбивал с ног. Во дворе Надежда очень удачно столкнулась с Вероникой Павловной, которая сразу уразумела суть и поинтересовалась только, в каких пределах возможна оплата. Надежда уверила, что деньги есть, вспомнив добром Димку, и Вероника Павловна обещала к вечеру решить вопрос с адвокатом.

Администратор ресторана по телефону ответила приветливо, но как только узнала, по какому вопросу обратилась Надежда, вся любезность куда-то испарилась, однако она согласилась отдать некоторые распоряжения.

От разговора с ней осталось неприятное впечатление, так что Надежде пришлось напомнить себе, что делает она это исключительно для того, чтобы помочь Галине, и доброе дело обязательно ей потом зачтется.

Надежда открыла тяжелую дверь ресторана и подошла к гардеробу.

Представительный гардеробщик — рослый, подтянутый, с бравой выправкой, роскошной серебряной шевелюрой и пышными, тщательно ухоженными седыми кавалерийскими усами — находился на своем боевом посту.

Надежда знала, что в приличных оперных театрах, а также в драматических театрах, имеющих долгую, еще с дореволюционных времен историю, нанимают капельдинерами бывших артистов. Они импозантно выглядят, умеют хорошо носить одежду, в общем создают еще до начала спектакля соответствующий колорит, гармонируя с бархатной обивкой кресел и расписными пилястрами потолков.

Владельцы этого ресторана тоже позаботились о создании колорита — а конкретно обстановки помпезного советского ресторана пятидесятых годов прошлого века, в стилистике культового сериала «Место встречи изменить нельзя». И для полноты картины они наняли импозантного мужчину, должно быть, отставного военного. Был, правда, в этой картине один не предусмотренный хозяевами штришок — в те давние времена гардеробщики в дорогих ресторанах служили по совместительству в органах и докладывали своему начальству обо всем интересном и значительном, что происходило на вверенной им территории.

По раннему времени посетителей в ресторане было совсем немного, и гардеробщик отдыхал. В прежние, уже упомянутые времена он, скорее всего, читал бы газету (не «Правду», а непременно «Известия» или «Вечерку»), но на дворе давно стояло новое тысячелетие, так что в руке у гардеробщика был смартфон. В большом зеркале в резной золоченой раме отражалась спина гардеробщика, и Надежда заметила на темном пиджаке рыжие кошачьи волоски. На мгновение она испытала к гардеробщику родственные чувства — у нее самой дома обитал пушистый рыжий красавец Бейсик, но тут же их отбросила: то, что у человека есть рыжий кот, еще не делает его добродетельным.

Надежда негромко кашлянула, чтобы привлечь внимание гардеробщика. Он неспешно, без суеты убрал телефон в карман и строго оглядел Надежду.

— Я вас слушаю! — проговорил он доверительным баритоном, каким католические священники или врачи-психологи с большим опытом предлагают начать исповедь.

— Это я вас послушала бы! — отбила Надежда пас гардеробщика. — С вами ведь говорила Алина Сергеевна, предупреждала... пожалуйста, расскажите мне, что вы видели вчера вечером.

В глазах гардеробщика что-то изменилось, он приглушил вальяжную самоуверенность и изобразил почтительную, глуповатую готовность к сотрудничеству.

— Да-да, конечно... Алина Сергеевна говорила, что вы можете задать мне несколько вопросов... но только я вчера почти ничего не видел... вы же понимаете, такое место... гардероб, он на отшибе... отсюда ничего не видно...

— Так... вы меня, видимо, неправильно поняли. Вас, извините, как зовут?

— Арсений, — доверительно сообщил отставник.

— Арсений... а по отчеству?

— Арсений Аристархович! — гардеробщик слегка зарделся. Видимо, он немного стеснялся своего вычурного отчества, но в то же время и гордился им, почти как усами.

— Арсений Аристархович, вы в каком чине вышли в отставку? Подполковника?

— Майора, — скромно потупился отставник.

— Ясно. Значит, должны понимать, с кем имеете дело. И лапшу мне на уши не вешайте.

Надежда решила сразу поставить его на место.

Отставник быстро и опасливо взглянул на Надежду, оценив ее намек, и встал по стойке «смирно».

— Так вот, давайте начнем сначала. Будем считать, что я только что подошла и начала задавать вам вопросы. Арсений Аристархович, что вы видели вчера вечером?

Гардеробщик задумался и левой рукой принялся машинально подкручивать усы.

Надежда решила задать наводящий вопрос и уточнила:

— Начнем вот с чего. Та женщина, которую вчера убили, с кем она пришла?

— Одна, — не задумываясь, выпалил гардеробщик.

— Вы уверены?

Гардеробщик чуть заметно улыбнулся, при этом кончики его усов приподнялись, как у кота при виде сметаны.

— Уж ежели я в чем уверен, так в этом... если, извиняюсь, парочка приходит — так они разоблачаются совместно. Кавалер иногда даме помогает. Ежели, конечно, воспитанный. Это потом они могут разойтись, а тут непременно...

Тут гардеробщик запнулся и потерял нить разговора. В глазах его промелькнуло беспокойство. При этом смотрел он на что-то или на кого-то за спиной Надежды.

Надежда Николаевна, разумеется, не стала вертеть головой, а украдкой взглянула в большое зеркало за спиной гардеробщика, в котором отражалась входная дверь ресторана: помпезная, как и все здесь, из поддельного красного дерева, со вставками цветного стекла и латунной, ослепительно сверкающей ручкой. В данную минуту дверь слегка приоткрылась, а в образовавшуюся щель заглянул человек с густыми темными бровями. Брови эти были вопросительно подняты, а взгляд незнакомца был направлен, несомненно, на Арсения Аристарховича.

Благодаря зеркалу Надежда одновременно могла видеть и спину гардеробщика, и его лицо, в частности глаза. И этими глазами он подавал бровастому незнакомцу предупреждающие знаки. Вроде красного сигнала светофора. Тот эти знаки уверенно прочитал, верно расшифровал и тут же испарился, тихонько затворив за собой ресторанную дверь.

Надежда прищурилась. Где-то совсем недавно она видела это лицо, эти густые темные брови... Она уже почти вспомнила, где именно, но тут гардеробщик сбил ее с мысли.

— Значит, — поспешно продолжил он свою речь, — значит, я вам точно говорю — одна была эта дамочка! Совсем одна!

— Одна? — недоверчиво переспросила Надежда. — Разве приличные женщины ходят вечером в ресторан одни, без спутника?

— Это конечно, — согласился гардеробщик, незаметно покосившись на дверь. — Ну, так она же не одна была в ресторане...

— Извините, не понимаю, — фыркнула Надежда. — То вы говорите, что одна, то — что не одна...

— Как вы меня спрашиваете, так я вам и отвечаю! Вы меня спросили, с кем она пришла? Пришла она одна, без спутника, а здесь уже пошла к своим...

— К каким это — своим?

— Она меня сразу спросила: где отмечают юбилей Котовича, я ей и сказал: в зеленом, значит, зале. Она туда и пошла. Значит, к Котовичу на юбилей...

— К Котовичу? — переспросила Надежда Николаевна. — Это кто же такой — Котович?

— Вот чего не знаю, того не знаю. Должно быть, бизнесмен какой-нибудь или кто-то в этом роде. Только у нас на эту фамилию был зарезервирован зеленый зал.

Гардеробщик отвечал как-то сбивчиво, рассеянно и то и дело косился на дверь. Надежда прекратила расспросы, достала телефон и набрала номер Алины.

Та ответила сразу, но ждала явно не Надежду.

— Ах, это вы...

— Да, Алина Сергеевна. Я хотела с вами поговорить...

— Ох, мне сейчас нужно с одним срочным заказом разобраться. Это займет примерно полчаса. Извините... может, вы пока поедите? Я распоряжусь, чтобы вас обслужили, бесплатно, разумеется...

— Ну, если только кофе...

Надежда нажала на телефоне несколько кнопок, сунула телефон в карман пальто и снова перевела взгляд на гардеробщика, который нетерпеливо поглядывал то на нее, то на дверь.

Надежда сняла пальто, протянула его отставнику, взяла номерок и прошла в бар. Там она расположилась так, чтобы видеть входную дверь ресторана, и заказала чашку капучино. Официантка предложила ей меню десертов, но Надежда, тяжело вздохнув, мужественно отказалась.

Через несколько минут ресторанная дверь открылась, и в нее, воровато оглядываясь, проскользнул высокий темноволосый мужчина с густыми бровями.

В эту секунду Надежда вспомнила, где его видела.

По ее просьбе все участники злополучной встречи выпускников должны были прислать ей фотографии, сделанные в тот вечер. Спасибо Люське — она расстаралась и всех обзвонила, уж очень хотела помочь. Кое-кто отреагировал быстро, и фотографии стали приходить, когда Надежда ехала в ресторан. На одном из снимков и промелькнуло это самое лицо — темные волосы, густые брови, похожие на двух жирных гусениц...

Бровастый тип пробыл в ресторане недолго — минут через пять он уже выскользнул обратно.

Надежда допила кофе, вышла в холл перед гардеробом и протянула Арсению Аристарховичу номерок.

— Как? Уже уходите? — тот изобразил вежливое сожаление.

— Я еще вернусь, — пообещала Надежда.

Выйдя на улицу, она огляделась по сторонам и, не увидев никого подозрительного, достала из кармана телефон.

Прежде чем сдать пальто гардеробщику, она включила на телефоне аудиозапись и теперь собиралась ее прослушать.

Первую минуту ничего не было слышно, затем раздался негромкий скрип открывшейся двери и быстрые шаги. Наконец прозвучал приглушенный голос гардеробщика:

— Я тебе говорил — не приходи пока! Тут сейчас опасно! Сам знаешь, что тут случилось.

В ответ раздался другой голос — тихий и слегка заикающийся:

— Да оч-чень нужно... я п-проверил — ментов нет...

— Ментов-то нет, но тут какая-то женщина разнюхивает — может, она еще хуже ментов.

— Ч-что за женщина?

— А я знаю? Управляющая велела ей рассказать все, что я видел. А ее попробуй не послушайся...

— Все?! — в голосе незнакомца прозвучал испуг.

— Ну, ты не волнуйся. Само собой, про наши дела я ей рассказывать не собираюсь. Я себе не враг. Так ты говори — чего пришел? Я ведь уже сделал, что ты просил.

— С-сделал... только там что-то не сработало. То ли сломалось, то ли что. Так что нужно повторить.

— Повтори-ить? — недовольно протянул гардеробщик. — Об этом уговора не было...

— Не было — значит, будет!

— Ну, сам понимаешь — больше работы, больше денег. Рыночные отношения. Тем более обстоятельства изменились. Мне за риск премия положена.

— Будет тебе премия! Только сначала дело сделай. Вот держи, сделаешь, как прошлый раз.

— Да как же я сделаю? А если он не придет?

— Должен прийти! Он ведь на ланч к вам все время ходит!

— Ну, ходит, а теперь, может, не будет ходить, раз такая петрушка вчера получилась...

— Не каркай!

Снова раздались быстрые шаги, на этот раз удаляющиеся, и наступила тишина.

Надежда еще раз огляделась и прямо у себя над головой заметила ритмично мигающий глазок видеокамеры.

Она снова набрала номер Алины. Та уже освободилась и пригласила Надежду к себе.

При ее появлении в ресторане лицо гардеробщика вытянулась. Надежда приветливо ему улыбнулась, протянула пальто и направилась в кабинет Алины.

Управляющая приподнялась ей навстречу.

— Простите, что заставила вас ждать — сами понимаете, дела... работа напряженная... — сухо заметила она.

«Ага, а я здесь, значит, груши околачиваю!» — промелькнула у Надежды мысль.

— Я вам чем-то могу помочь?

«Вообще-то это я вызвалась вам помочь... вернее, замутила всю историю Люська...» — подумала Надежда, но вслух сказала другое:

— Я видела у вас над входом видеокамеру...

— Ну да, там же стоянка для клиентов. Мало ли что случится, потом разбираться легче.

— Я хотела бы просмотреть записи с этой камеры. Вы ведь их храните?

— Ну да, конечно... я попрошу Вадима вам показать. — Управляющая сняла трубку старомодного телефонного аппарата без диска и проговорила: — Вадик, зайди ко мне!

В ответ что-то неразборчиво пробормотали, и Алина едва заметно поморщилась.

— Ну никто не хочет работать. Он, видите ли, занят и будет только минут через двадцать! Работу потерять не боится, знает прекрасно, что я его уволить не могу — специалист хороший, всю технику отлично знает! Сейчас официанта хорошего и то не сразу найдешь.

— Ну... вы, я так понимаю, тоже работу потерять не боитесь... — не удержалась Надежда и тут же опомнилась: — Простите, это, конечно, не мое дело... Но зачем вам вся эта нервотрепка? Сидели бы дома, при таком-то муже обеспеченном.

— Как вы? — прищурилась Алина, и Надежда скрипнула зубами — Люська все про нее разболтала.

Она посмотрела на свою визави и улыбнулась.

В принципе, Алина ей нравилась. Люська говорила, что она вторая жена Белугина, а первую Надежда и не знала совсем, так что сейчас им с Алиной вроде бы и делить нечего. Алина была моложе лет на десять и выглядела вполне себе ничего. Лишнего веса не наблюдалось — видно, что следит за собой, но не было этого нарочитого лоска, когда сразу становилось ясно, что женщина только на себе, любимой, и сосредоточена, больше ничем не занимается. Ну, тут все понятно, работа много времени отнимает.

— Вам тоже скучно дома? — осмелилась спросить Надежда после небольшой паузы.

— Детей у меня нет, муж с утра до вечера на работе, приходит совсем никакой, даже разговаривать со мной иногда не может. Язык, говорит, не ворочается...

— Да, бизнес — дело тяжелое.

— А я тут буду к нему с разговорами да всякими проблемами лезть... Только на хамство нарвешься...

— Понимаю.

Алина посмотрела на нее и уверилась, что Надежда говорит вполне искренне, что не завидует и не злорадствует.

— А так я хоть на работе его вижу...

— Ну, раз так, то правильное решение приняли насчет работы.

Алина взглянула на часы и поморщилась:

— Ну ни за что не придет вовремя! Может, пока кофе?

— Да напилась уже! — брякнула Надежда и, тоже взглянув на часы, рассердилась. Чего она тут валандается, время впустую тратит, дома дел невпроворот!

— Кстати, кофе ваш парень варит так себе... — не утерпела она.

— Да я знаю. Тогда чаю с булочками? У нас выпечка хорошая.

Булочки и правда оказались выше всяческих похвал. Проклиная свою слабохарактерность, Надежда съела две штуки. И запила все это сладким чаем. Ужас какой!

Технически грамотный Вадик все не шел, и понемногу между женщинами установились вполне дружеские отношения. Ну, или, по крайней мере, приязненные.

— Скажите, Алина, а вот этот Котович, который юбилей справлял... вы его хорошо знаете?

— Ну да, он наш постоянный клиент. Фирма у него, называется «Проминвест», и офис неподалеку. Он к нам на ланч часто приходит, потому и юбилей здесь отмечал — как постоянному клиенту мы ему скидку приличную сделали.

— Значит, вы и сотрудников его знаете? — осторожно поинтересовалась Надежда.

— Нет, сотрудники сюда не ходят, у нас для них дорого, — усмехнулась Алина. — Говорила я Леониду, чтобы сделал не такой шикарный ресторан, а что-то попроще, а он уперся, ни в какую. «Ты еще, — кричал, — предложи мне открыть предприятие быстрого питания! Мне не нужно, чтобы студенты и школьники тут целыми днями паслись и бомжи грелись! Хочу, чтобы все пристойно было, красиво и дорого, тогда приличные люди ходить станут».

— Ну и как? — улыбнулась Надежда. — Ходят? — И тут же опомнилась: — Простите, что это я... Бизнес — не мое дело...

— Да ладно, — Алина вздохнула, — идут дела потихоньку... Вот, юбилеи, встречи старых друзей...

Последние слова она произнесла сквозь зубы, чуть ли не с ненавистью.

— Что, не понравилась вам наша компания? — напряглась Надежда. — Неужели вы действительно верите, что Галина и правда ту женщину из ревности убила?

— Да мне дела нет, убила или не убила! — вдруг выкрикнула Алина. — Вот уже где у меня эти подруги юности!

Память у Надежды всегда была хорошая, просто сейчас голова работала не в том направлении, иначе она давно сообразила бы кое-что. Точнее, вспомнила.

Была у них в институте одна признанная красавица. На первом курсе вчерашние школьники, несколько обалдевшие от экзаменов и другой, взрослой, как они думали, жизни, выглядели так себе. А эта, рано похорошевшая, видно, еще в школе все про себя поняла. Да тут особого ума и не надо было — в зеркало посмотри и все поймешь. И развилась у этой красавицы некоторая мания величия. Ее подружка, с которой они рассорились на втором курсе, рассказывала девчонкам, что в школе творилось что-то невообразимое. Говоря словами из старого фильма, мальчишки при виде красотки все как один падали и сами собой в штабеля укладывались. Примерно в таком духе. Так что красавица и в институте держалась как королева, а это, как известно, половина успеха.

Она и вправду была хороша — глаза большие, носик прямой, точеный, на губах играет загадочная улыбка. Голос тихий, говорила всегда мало, так что хотелось наклониться ближе и прислушаться. Не Надежде, конечно, боже упаси, а личностям мужского пола.

Надежда с красоткой мало общалась — интересы были разные. Одевалась та очень хорошо, что в те годы стоило больших трудов и денег. Говорили, что родители у нее были с возможностями. А у Надежды папа — инженер, мама — простой преподаватель. Ни денег, ни связей особенных не имели, так что с одеждой мама выкручивалась, как могла. А могла она немногое. Шить-вязать не умела, но в магазине очереди отстаивала, хотя очень это дело не любила. Так что лет с пятнадцати Надежда вязала жилетки да свитера. И с тех пор возненавидела вязаные шапочки, хотя сейчас они снова вошли в моду. Даже сегодня, как вспомнит ту, в полосочку и с помпоном, что на первом курсе носила, и красоткину из чернобурки, так и расстраивается, хотя и понимает, что это глупо.

Крутились вокруг красотки многие, только после первого курса кое-кто отпал — опять-таки интересы стали несколько иными, да и девчонки некоторые подросли и похорошели. На втором курсе среди всей пестрой свиты явственно выделялся Леня Белугин, но потом и он куда-то делся. А на третьем красотка вышла замуж за парня постарше, никто его толком не знал, и на свадьбу никого из институтских не позвали.

— Так ты про Ольгу, что ли? — Надежда сама не заметила, как перешла на ты.

— Черт, как мне все надоело!

Очевидно, у Алины накипело, потому что слова посыпались из нее, как греча из мешка.

— Представляешь, все ее вспоминает. И мне рассказывает, как он ее любил! Стихи ей писал, под окнами стоял, с крыши хотел броситься, когда она замуж вышла!

— Вот как! — удивилась Надежда. — А с виду такой спокойный, толковый мужчина, собственный бизнес вот создал.

Хотя... может, в бизнесе он и соображает, а так... Это же надо додуматься — жене такое рассказывать! Нет бы промолчать... Впрочем, все мужики в этом смысле идиоты, ничего у них не держится.

— Кстати... — Надежда оживилась, — по моим наблюдениям так получается: если он тебе про это рассказывает, стало быть, все прошло. Потому что, если бы не прошло, он бы все в себе держал, воспоминания берег, стишата свои перечитывал...

— Ты думаешь? — Алина смотрела с надеждой.

— Точно знаю! А еще... вот ты знаешь, почему она на встречу не пришла? Ведь Люся ей звонила, приглашала, про ресторан рассказывала, который Леня открыл.

— И почему же? Я и то удивилась...

— А тут все просто. Ведь пришли те, кто в жизни хоть чего-то достиг. Ну вот твой муж, Димка Шапиро, Ирка Левашова за каким-то там крутым перцем замужем, у Ивана своя фирма крупная и так далее. Улавливаешь? Ну, еще мы с Люськой, она очень общительная, а я...

— А ты просто хорошая, невредная, никому не завидуешь, ко всем хорошо относишься, — с улыбкой закончила Алина. — Это мой муж так говорит.

— Ну, спасибо на добром слове, — растрогалась Надежда. — Я тебе тоже приятное скажу. Эта самая Ольга три раза замужем была, со всеми мужьями развелась и теперь живет с сыном. Работает в какой-то зачуханной фирмочке и жутко растолстела!

— Да ну? — Алина взвизгнула от восторга. — Точно?

— Сведения верные, от Люськи. И вот, вместо того чтобы взять себя в руки и похудеть, она сказала, что ни на какие встречи старых друзей не ходит, потому что ничего хорошего во время учебы у нее не было... в общем, ерунду какую-то несла.

— Ну, ты меня обрадовала! Теперь хорошо бы подстроить так, чтобы Ленька ее своими глазами увидел, — сразу вся любовь пройдет!

— А вот этого не надо, — серьезно сказала Надежда. — Он ее увидит, расстроится, поймет, каким дураком был все это время, и тебе же еще и достанется. Потому что жена всегда виновата, что бы ни случилось. Кого ему еще винить-то, на ком злость сорвать? Что идиотом был, он ведь ни за что не признается даже себе! Так что очень советую тебе помалкивать. Даже можешь проявлять сочувствие, для виду...

— Точно. Умная ты, Надя, не зря тебя мой муж так уважает.

Тут Надежда осознала, что занимается обычной бабской трепотней, вместо того чтобы выяснить хоть что-то про убийство блондинки.

Галка в камере мается, а она чаи распивает и сплетни старые пересказывает. Нехорошо!

Наконец открылась дверь и на пороге появился технически грамотный Вадик. Был он не то чтобы толстый, но какой-то пухлый, с круглой головой, темные волосы плотно прилегали к черепу и были похожи на короткую шерсть. А сам Вадик напоминал медвежонка. Не настоящего — плюшевого. Снять очки, надеть клетчатые штаны на одной лямке — вылитый Винни-Пух.

Алина велела ему оказывать Надежде всяческое содействие и отпустила обоих мановением руки.

— Вот здесь у меня вся техника, в этой кладовочке... Я себе здесь оборудовал рабочее место.

Вадик открыл дверь и пропустил Надежду вперед. Кладовка была настолько мала, что Надежда с трудом в нее протиснулась, но еще и под завязку оказалась набита всевозможной техникой — мониторами, компьютерами, осциллографами, источниками питания и вовсе не понятными приборами. Вся эта техника мигала, пищала и пульсировала, как лампочки на новогодней елке. Надежда Николаевна вспомнила те годы, которые провела в научно-исследовательском институте.

— Это похоже не на кладовку при ресторане, а на секретную лабораторию или даже на пульт управления космического корабля! — проговорила она льстивым голосом.

— Ну, уж вы скажете! — отозвался Вадик, протискиваясь вслед за Надеждой в свой «кабинет».

— А вообще, Вадим, зачем вам так много техники? Только для наблюдения за входом в ресторан?

— Ну, не только... я тут вообще-то кое-какие собственные идеи обдумываю... стартап хочу создать... только вы Алине Сергеевне не говорите, ладно?

— Что за вопрос!

— Вот, вы хотели посмотреть записи с видеокамеры перед входом... — Вадим включил один из мониторов.

На экране появилось черно-белое изображение стоянки перед входом в ресторан и пятачка перед самой дверью.

— Вам, я так понимаю, нужна вчерашняя запись, начиная где-то с пяти вечера, когда начали подходить гости?

— На всякий случай пораньше.

Сначала на экране почти ничего не происходило, только время от времени мелькали случайные прохожие. Запись шла в ускоренном темпе, и люди двигались быстро, рывками. Это выглядело комично, особенно когда мимо ресторана прошел крупный мужчина с крошечным терьером на поводке.

Наконец начали появляться посетители ресторана, и Надежда попросила Вадима уменьшить скорость просмотра.

Одна за другой подъезжали машины, из которых выходили нарядные люди. Кто-то приехал на такси, кто-то — на своей машине, кто-то подошел пешком от станции метро.

Надежда узнала институтских знакомых. Вот появилась сама Надежда, вот пришли Сизовы... Галя держит Виктора за локоть и что-то ему говорит. Видимо, просит держать себя в руках... Вот она поправила шарф на шее Виктора... Надежда прочитала на лице Галины искреннюю заботу о муже... Нет, невозможно, чтобы она через час в припадке ревности разбила ему голову! Пришли они пешком, стало быть, приехали на метро или на маршрутке. Ну да, Витьке в его состоянии за руль небось нельзя. А Галка, интересно, водит? Надо будет у Люси спросить.

Вот подъехало очередное такси, из него вышла высокая стройная блондинка.

— Остановите! — проговорила Надежда.

Вадим нажал на паузу.

Надежда всмотрелась в изображение на экране. Да, это, несомненно, та самая женщина, которую убили. Пальто хорошее, дорогое, расстегнуто, из-под него виднеется платье персикового цвета.

— Можно продолжить...

Один за другим к ресторану подходили и подъезжали люди. Вот среди них снова мелькнуло знакомое лицо...

— Остановите!

Надежда вгляделась.

Высокий темноволосый мужчина с густыми бровями, похожими на гусениц. Ну да, он был вчера в ресторане, Надежда видела его на фотографиях. А сегодня снова пришел, и у него была подозрительная беседа с гардеробщиком.

— Можно вернуться? — попросила Надежда Вадима. — На пару минут...

— Да ради бога...

Он вернул изображение назад, и Надежда увидела, как на стоянку въехала темная машина, из которой появился тот самый бровастый тип.

— Остановите!

На застывшем кадре Надежда Николаевна смогла разглядеть номер автомобиля.

Она и сама не знала, почему ее интересует этот человек. Казалось бы, он не имеет отношения к убийству. Тем не менее Надежда повернулась к Вадиму и спросила:

— А можно как-нибудь пробить этот автомобильный номер по базе данных? Узнать, кому он принадлежит?

— Если нужно — пробьем, нет вопросов!

Вадим молниеносно пробежал пальцами по клавиатуре компьютера, открыл какой-то сайт, еще один, повозился несколько минут и сообщил:

— Эта машина зарегистрирована на фирму «Антарес».

— Чем эта фирма занимается?

— Минутку...

Вадим снова деловито застучал по клавиатуре и очень скоро доложил:

— Поставки медицинской техники. Томографы, аппараты для ультразвукового исследования и прочее. Подробности нужны?

— Да нет, наверное. Я в этом все равно не слишком хорошо разбираюсь. Давайте смотреть дальше...

На экране снова замелькали машины и люди, с каждой минутой их становилось все больше.

Вот подъехала большая представительная машина, из которой вышел квадратный, коротко стриженый мужчина в модном пальто и уверенно зашагал к двери ресторана.

Его лицо показалось Надежде знакомым.

— Кто это, вы случайно не знаете?

— Почему не знаю? Знаю... это Котович, бизнесмен, он наш постоянный клиент.

— Котович! — повторила Надежда за Вадимом. — Ну да, мне Алина про него говорила.

— Он почти каждый день у нас обедает, а вчера отмечал день рождения... то есть юбилей. Алина Сергеевна ему как особому клиенту сделала большую скидку.

— А вам откуда это известно?

— Да Котович мужик прижимистый, они так громко это обсуждали, что весь персонал был в курсе!

Надежда вспомнила конфиденциальный разговор гардеробщика с бровастым типом.

«Он сюда каждый день на ланч ходит...»

Уж не о Котовиче ли они говорили?

— Вы говорите, он у вас каждый день обедает?

— Ну, или почти каждый.

— А в какое время?

— Да вот же он как раз приехал! — Вадим показал на другой монитор, куда поступало изображение с камеры.

Действительно, на стоянку подъехала та же большая представительная машина, из которой выбрался квадратный человек в стильном пальто и направился к двери ресторана. Очевидно, господин Котович был либо очень в себе уверен, либо и правда жадноват, если не сменил ресторан. Не испугало его вчерашнее убийство.

— Пойду-ка я с ним поговорю... — протянула Надежда.

— Я не возражаю! — усмехнулся Вадим, вспомнив известный анекдот.

Надежда направилась было в общий зал ресторана, однако в голове роились сомнения. Станет ли такой бывалый и опытный бизнесмен, как господин Котович, откровенничать с неизвестной женщиной? Не пошлет ли он ее куда подальше?

И тут у нее мелькнула плодотворная дебютная идея.

Надежда повернулась к Вадиму и спросила:

— А нет ли у вас такой специальной штуки, которая находит спрятанные жучки и прочие скрытые электронные устройства? Я такие в кино видела.

— Почему же нет? — Вадим усмехнулся. — Для хорошего дела у меня много чего найдется.

— Тогда я вас вот еще о чем попрошу...

Надежда подошла к гардеробу и озабоченно проговорила:

— Алина Сергеевна просила вас срочно подойти.

— Меня? — удивленно переспросил отставник. — А зачем я ей понадобился?

— Вот чего не знаю, того не знаю. А только она очень, очень сердита. Прямо рвет и мечет.

— Ладно, схожу... А вы пока тут побудете, приглядите за вещичками?

— Не вопрос!

Едва гардеробщик скрылся в служебном коридоре, из-за угла появился Вадим. В руках у него был небольшой прибор в темном металлическом корпусе. Вадим зашел в гардероб, включил свой прибор и повел им из стороны в сторону. На панели прибора замигала красная лампочка.

Вадим прошел с прибором вдоль вешалки, следя за его поведением. Около модного кашемирового пальто лампочка на панели замигала особенно сильно.

— Это ведь пальто Котовича? — проговорила Надежда скорее утвердительным, чем вопросительным тоном.

— Ну да...

— Что и требовалось доказать!

Оставив Вадима в гардеробе, она направилась в зал ресторана и подошла к столику, за которым хмурый квадратный человек просматривал какие-то бумаги в ожидании своего заказа.

— Господин Котович?

— Да, это я, — мужчина поднял на нее глаза, оторвавшись от бумаг. — А вы, простите, кто? Мы с вами, кажется, где-то встречались? Ваше лицо мне кажется знакомым.

— У вас хорошая память на лица. Мы с вами встречались в этом ресторане в день вашего юбилея. То есть вчера.

— И чего вы от меня хотите? — он еще больше нахмурился.

— Я хочу вам кое-что показать. Это не займет много времени.

Что-то в голосе Надежды Николаевны или в выражении ее лица показалось Котовичу убедительным. Он не стал больше задавать никаких вопросов, встал из-за стола и прошел за ней в гардероб. Там их ждал Вадим со своим замечательным прибором. Вадим поднес прибор к кашемировому пальто.

— Ваше пальто?

— Мое.

Вадим нажал кнопку, и лампочка снова замигала.

— Знаете, что это значит?

— Догадываюсь.

— Загляните за лацкан! — посоветовала Надежда.

Котович отвернул лацкан пальто и увидел там маленький пластиковый кругляшок не больше пуговицы.

— Кто это установил?

— В деле определенно замешан здешний гардеробщик. Это он прикрепил жучок к вашему пальто, а кто его нанял — мы вам сейчас покажем...

Надежда привела Котовича в «кабинет» Вадима и показала ему на экране человека с густыми темными бровями.

— Вот этот человек сговорился со здешним гардеробщиком. Он вам знаком?

— Нет, первый раз вижу.

— Значит, настоящий профессионал, хорошо работает, не попадается вам на глаза. Его машина зарегистрирована на фирму «Антарес». Это название вам что-нибудь говорит?

— Еще бы! Мои главные конкуренты. Теперь понятно, какую игру они ведут... Я сейчас провожу очень важные переговоры, от исхода которых многое зависит, и конкуренты хотят разнюхать, где я бываю и с кем разговариваю. Для этого и установили жучок, чтобы засечь все мои передвижения. Ну надо же... — Котович немного подумал и сказал: — Вот что. Прошу вас, ничего не говорите гардеробщику, пусть он думает, что его не раскусили. Я воспользуюсь своим преимуществом и разыграю собственную игру. Знаете поговорку «Предупрежден — значит, вооружен»?

— Еще бы.

— Спасибо, вы мне очень помогли... Кстати, — в глазах Котовича вспыхнуло подозрение, — кто вы такая и какой ваш собственный интерес в этом деле? Есть ведь и такая поговорка: «Бесплатный сыр бывает только в мышеловке». Вы ведь не состоите в штате ресторана... — тут он мотнул головой в сторону Вадима.

А тот, вот интересно, сделал самое глупое лицо и даже, казалось, уменьшился в габаритах.

— Вы, конечно, правы. Дело в том, что я расследую убийство, которое произошло в этом ресторане вчера.

— Вы? — Котович недоверчиво взглянул на Надежду. — Вы совсем не похожи на сотрудника полиции!

— Я и не имею к полиции никакого отношения! — Надежда усмехнулась. — Я этим занимаюсь в частном порядке.

— Вы — частный детектив? Как интересно! — в голосе Котовича Надежда уловила малую толику насмешки, но решила не обращать внимания.

— Ну да, что-то в этом роде. И я хочу, чтобы вы мне рассказали об убитой женщине. Ведь она пришла на ваш юбилей, стало быть, вы с ней как-то связаны.

— Я? — удивился Котович. — Да я в жизни ее не видел!

— Но ведь она была у вас...

— Ну да, — он перебил Надежду, — вроде бы была. Интересная женщина, трудно ее не заметить. Но, знаете, народу столько собралось! Очевидно, она пришла с кем-то, а с кем — я понятия не имею.

Надежда вспомнила, как гардеробщик утверждал, что убитая блондинка пришла одна. Ну, возможно, договорилась встретиться со своим спутником прямо тут, в ресторане. Хоть и не принято так делать, но, может, какие-нибудь особые обстоятельства были...

— Знаете что? — Котович нетерпеливо посмотрел на часы. — Поговорите с моей помощницей, она занималась приготовлениями к юбилею и должна знать всех приглашенных. Ее зовут Юлия Борисовна, вот телефон, а я, со своей стороны, распоряжусь, чтобы она оказала вам всяческое содействие.

Тут господину Котовичу принесли ланч, и Надежда сочла их беседу законченной.

На следующий день позвонил адвокат, которого нашла Вероника Павловна, сказал, что приступает к делу и вечером сообщит, как там и что. А Надежда решила навестить в больнице Виктора Сизова. Авось он пришел в сознание и сумеет кое-что объяснить. Может, хоть вспомнит, кто его по голове приложил.

В справочной ей ответили, что состояние больного удовлетворительное и посещения разрешены. Надежда купила килограмм мандаринов и пачку печенья и решила, что этого хватит. Все-таки не с пустыми же руками в больницу идти...

Виктор лежал в палате на шесть человек, и все кровати оказались заняты. Было, как водится, душновато и шумно, да и пахло больными и не сильно чистыми мужиками.

Надежда огляделась и увидела Виктора в самом углу. Она узнала его с трудом, потому что голова Сизова была забинтована. Ну да, его же прилично приложили, крови было много... Зашивали небось... Рядом с его кроватью на стуле сидела женщина.

— Дама, вы конкретно к кому? — спросил отиравшийся возле двери неказистый мужичок в поношенном спортивном костюме и с перевязанной головой.

— Да я вон, к Сизову, — Надежда потопталась на месте, пытаясь сообразить, кто эта женщина. Неужели Галина не в курсе, и Витька успел завести даму сердца?

— А вы не супруга его конкретно будете? — Перевязанный мужичок с интересом переводил глаза с нее на другую посетительницу в предвкушении скандала.

И то сказать, в больнице какие развлечения? Телевизор в холле всего две программы показывает, и то завотделением распорядился, чтобы только вечером его включали, перед ужином.

Больные тут, сказал, и так головой ушибленные, а телевизор лечению не способствует, там тоже все очень нервные.

Курить теперь в отделении не разрешали, нужно было на улицу выходить. А там холодно, долго не простоишь.

И тут вдруг такое развлечение: пришли к соседу по палате сразу две бабы. Которая жена, которая любовница — сразу не разберешь, да ему и без разницы, все равно друг другу волосы выдирать станут. Ну, пойдет сейчас потеха!

Однако его ожидания не оправдались, поскольку бабенка, сидящая возле кровати Сизова, тихонько встала и молча вышла из палаты. И эта новая, которая только что пришла, ничего ей не сказала, даже не обозвала никак.

Надежда села на тот же стул и сочувственно посмотрела на Виктора. Нижняя часть его лица была желтоватого цвета, под глазами залегли глубокие темные полукружья, но сами глаза смотрели вполне ясно, не было в них болезненной пелены.

— Здравствуй, Надя... — проговорил Виктор несколько неуверенно. — А ты как здесь?

— Вот, пришла тебя навестить, — радостным голосом ответила Надежда, краем глаза отметив, что мужичок у двери внимательно смотрит и прислушивается.

— Вижу, что в сознание пришел, — продолжила Надежда, — стало быть, тебе лучше, а голова заживет. Ну, тогда поговорим! — Она запихнула в тумбочку мандарины и печенье, заметив, что больше в ней ничего нет, — ни чашки, ни заварки, ни сахару даже. Ну правильно, кто ему принесет-то? Жену ведь арестовали.

— О чем поговорим? — слабо удивился Виктор. — Ты вообще как узнала, что я в больнице?

— Тебя же вчера увезли, сказали — куда, — в свою очередь удивилась Надежда.

— Я не помню, — он опустил голову. — Понимаешь, ничего не помню, что вчера было.

— Доктор что говорит?

— Сказал, что пока ничего не ясно и вообще велел не волноваться. Мозг, сказал, очень сложная штука. Вот Галка придет — пускай сама с ним поговорит.

— Та-ак... — протянула Надежда напряженным голосом. — И когда она, по-твоему, придет?

— Не знаю, — с досадой сказал Виктор. — У меня телефон разрядился, а наизусть номер не помню. Забыл, понимаешь, все номера. Прямо беда с памятью...

— А что вообще помнишь? Как вы с ней в ресторан пришли — это ты помнишь? Ребят институтских помнишь? Димку Шапиро, Люсю, Леню Белугина...

— Ребят, конечно, помню, мы же учились вместе. Тебя вот сразу узнал, хоть и не виделись мы... сколько лет, Надя? Десять или больше? Больше, наверное...

— Да мы же вчера виделись! В ресторане!

— Быть не может! Ну, не помню я ничего! Вот сейчас тебя увидел... ну, изменилась ты, конечно, за столько лет, но узнать можно.

— И на том спасибо. Все-таки давай проясним ситуацию. Вот какое твое последнее воспоминание?

— Помню, что на работе плохо себя почувствовал, голова сильно закружилась, вроде как пол приближается — и дальше все, полный провал.

— На работе, говоришь? Это когда тебя инсульт хватил... — протянула Надежда. — Да это же год назад было! И как в больнице лежал, не помнишь? И на реабилитации? И как жена тебя выхаживала, тоже не помнишь? Совсем ничего не помнишь?

Виктор удрученно мотал головой.

— А это что за женщина приходила, вот передо мной?

— Эта? Соседка вроде... — неуверенно сказал Виктор. — Так, проведать... Мне, понимаешь, неудобно, что я ее не помню совсем...

— Соседка?

Надежда вспомнила, что тумбочка у Виктора совершенно пустая. Когда в больницу идут, все-таки хоть что-то несут — хоть яблок килограмм, хоть бананов гроздь, хоть печенье. Все знают, как у нас в больницах кормят.

— Вот что, Витя, — Надежда придвинулась ближе, краем глаза заметив, что настырный мужичок с перевязанной головой ушел в коридор, не дождавшись ничего интересного, — давай соберись, возьми себя в руки и слушай меня внимательно. И напрягись. Может, все-таки вспомнишь кое-что.

Она вполголоса поведала ему все, что случилось вчера в ресторане. Виктор слушал, изумленно вытаращив глаза. Хорошо хоть, не перебивал, не махал руками и не упрекал Надежду во лжи.

— Ну? — Она перевела дух. — Вспомнил теперь?

— Вот как будто в книжке все прочитал. Или фильм посмотрел. Интересно, конечно... — он развел руками.

— Интересно ему, — рассвирепела Надежда. — А тебе интересно, что жена в камере сидит ни за что? Надеюсь, ты не веришь, что это она ту бабу убила из ревности...

— Какая ревность? — изумился Виктор. — Никогда в жизни я ей повода не давал для ревности!

— Ты? — Надежда едва не завопила в полный голос, но вовремя опомнилась. — Ты не давал? Да ты после инсульта совсем ополоумел, ко всем подряд женщинам приставал. Независимо от возраста и общественного положения!

— Не может быть! Откуда ты это знаешь? Мы с тобой сто лет не виделись! Я тебе не верю!

— Ага, стало быть, это не ты вот буквально вчера лез ко мне обниматься, хватал меня за ноги и утверждал, что у нас с тобой что-то было на втором курсе?

— В жизни у нас с тобой ничего не было, — твердо ответил Виктор, — даже в кино вдвоем ни разу не сходили.

И посмотрел ей прямо в глаза. А его глаза теперь были совсем не такими, как вчера. Вчера они показались Надежде какими-то странными, а теперь — глаза как глаза. Усталые, растерянные, но в целом обычные.

— Ну что ж, — Надежда успокоилась, — это хорошо, что ты стал нормальным человеком. Осталось только вспомнить весь этот год. — Она пристально взглянула на Виктора. — Собственно, хорошо бы для начала хоть вчерашний вечер вспомнить. Думай, Витя, дураком ты никогда не был, голова у тебя всегда работала. Это очень важно. Вспомни, кого ты видел, все вспомни. Ладно, я завтра зайду.

— Надя, мне бы хоть зубную щетку и мыло... — заныл Витька. — А то здесь мыла совсем нет. И полотенце все рваное...

— Ага, и трусы, и носочки шерстяные... — процедила Надежда, — еще котлеток домашних и курицу. Вот выйдет твоя жена из тюрьмы — и все принесет.

— Когда она еще выйдет...

— Совести у тебя нет, вот что! — окончательно рассердилась Надежда и едва придержала дверь палаты, чтобы не хлопнула. Больные ведь не виноваты...

Когда Надежда проходила мимо сестринского поста, из кабинета с табличкой «Старшая медсестра» вышла та самая женщина, которая была в палате у Сизова, и быстрыми шагами направилась к выходу из отделения.

Надежда посмотрела ей вслед. Что-то с этой женщиной было не так...

Виктор сказал, что она — его соседка, но сказал как-то неуверенно. Кажется, он ее толком не помнит. Но ведь он забыл только то, что произошло за последний год, после инсульта. А в своем доме они с Галкой живут уже давно, так что соседей должен помнить... И вообще всех знакомых. Узнал же он ее, Надежду.

Опять же, Галина говорила, что за последний год отношения с соседями у них здорово испортились из-за странного Витиного поведения. Так что не стала бы соседка навещать его в больнице.

И еще — с виду эта соседка не первой молодости, а сейчас, со спины, показалась гораздо моложе. Походка легкая, движения пружинистые... ну, конечно, может, она спортом занимается или ходит на фитнес... Есть такие женщины — с возрастом у них появилось свободное время, так они его с толком тратят, о здоровье своем заботятся, фигуру берегут. Эта вон какая подтянутая и спортивная...

Вспомнив, что сама спортом не занимается, Надежда тут же привычно расстроилась. Ну, зарядку по утрам, она, конечно, делает, и в бассейн изредка ходит. От случая к случаю. Хотела было дать себе слово, что обязательно восполнит этот пробел, но решила реально смотреть на вещи и отмахнулась от этой мысли.

В это время из того же кабинета вышла крупная, монументальная особа в белом халате. По ее уверенному, начальственному виду Надежда догадалась, что это и есть старшая медсестра.

Тяжелыми шагами Командора она подошла к сестринскому посту и проговорила строгим, безапелляционным, слегка гнусавым голосом:

— Больного Сизова из двенадцатой палаты переведите в двадцатую Б, в одноместную.

— Одноместные палаты платные, а у него не оплачено, — торопливым сорочьим голосом возразила дежурная сестричка, сверившись с разлинованным листком. — А Роман Роланович распорядился, что только после оплаты...

— Вон как раз женщина пошла оплачивать. Как принесет квитанцию — так сразу и переведите! — с этими словами старшая сестра развернулась и ушла к себе в кабинет.

Надо же... Выходит, эта якобы соседка оплачивает Виктору одноместную палату! С чего бы такая трогательная забота о малознакомом человеке, всего лишь соседе по дому? Нет, надо с этим вопросом разобраться.

Надежда снова перевела взгляд на подозрительную женщину, которая стояла возле лифта, и устремилась к ней, но тут как раз двери лифта раздвинулись, и женщина уехала.

Надежда прибавила шагу, потом перешла на бег. Чтобы не дожидаться лифта, скатилась вниз по лестнице, и как раз успела добежать до первого этажа, когда таинственная незнакомка вышла из лифта и направилась вперед по коридору.

Надежда устремилась за ней, но расстояние между ними не уменьшалось, хотя незнакомка вроде бы и не бежала.

— Женщина, постойте! — окликнула ее Надежда, но та только прибавила шагу.

— Постойте же! Мне с вами нужно поговорить!

По напряженной спине Надежда поняла, что женщина ее отлично слышит, но и не думает останавливаться.

Быстрым шагом она прошла мимо окошечка, над которым висела табличка: «Оплата коммерческих услуг», и выскользнула на улицу.

Надежда тоже выскочила из больницы, остановилась на крыльце и растерянно завертела головой.

Незнакомки и след простыл.

— Куда же она подевалась? — пробормотала Надежда Николаевна себе под нос.

— Вы что-то спросили? — осведомилась поднявшаяся на крыльцо старушка.

— Нет, это я по телефону разговариваю, — отмахнулась Надежда. — С гарнитурой...

Врачи, кроме дежурного ординатора, давно разошлись по домам. Дежурная сестра разнесла больным прописанные лекарства, сделала положенные уколы и направилась в сестринскую. По пути она заглянула в холл, где последние, самые упорные из ходячих больных, приглушив звук телевизора, смотрели какое-то ток-шоу.

— Филатов, Мамонов, отбой! — проговорила сестра и выключила телевизор.

Больные уныло побрели в свою палату.

В отделении наступила тревожная больничная тишина.

Через несколько минут входная дверь отделения с негромким скрипом приоткрылась, и в коридоре показалась довольно высокая сухощавая медсестра в зеленой хирургической форме, причем внимательный взгляд отметил бы, что форма эта ей маловата. Но в коридоре не было ни души, так что медсестра настороженно огляделась и подошла к палате, на которой была прикреплена табличка с номером: «20 Б». Осторожно толкнув дверь, она юркнула внутрь.

Возле стены на узкой больничной кровати спал больной. Лица его было не видно, из-под одеяла торчала только забинтованная голова — в так называемой «шапочке Гиппократа».

Женщина в форме медсестры подошла к кровати, достала из кармана заранее приготовленный одноразовый шприц и взяла спящего за руку. Из вены торчал катетер, замотанный пластырем. «Очень удобно», — усмехнулась про себя «медсестра» и, выпустив жидкость из шприца в катетер, отступила в сторону, куда не попадал свет слабой лампочки.

Больной вздрогнул и пошевелился. А увидев смутный силуэт на фоне окна, разлепил слипшиеся со сна губы и слабо прошептал:

— Кто вы?

— Дежурная сестра, — ответила женщина также шепотом. — Спите, спите, все в порядке!

— Де… дежурная? — переспросил больной. — Что-то я вас раньше не видел.

— А я только вчера перевелась с урологии.

— Вот как… — Больной замолчал, словно прислушиваясь к себе, а потом удивленно проговорил: — Что-то у меня голова кружится… комната прямо плывет… и в ушах шумит…

— Это ничего, это бывает, — успокоила его «медсестра». — Спите, утром все будет хорошо!

— Ну ладно, раз вы говорите… — Больной закрыл глаза и натянул одеяло повыше. — Спать…

— Вот именно — спать. И все кончится.

— Что… значит… кончится? — пролепетал больной, широко открыл глаза и даже попытался сесть на кровати.

— Черт! — закричала «медсестра», подбежав ближе. — Черт!

Но все и правда кончилось.

Глаза больного закатились, он вздрогнул, как от холода, и вытянулся на койке. Медсестра скрипнула зубами и проверила пульс. Только убедившись, что его нет, тяжело вздохнула и выскользнула из палаты.

Вечером адвокат не перезвонил, и утром Надежда позвонила сама. Он был очень недоволен, сказал, что бегает по инстанциям, собирает документы, и просил его не беспокоить. «Будут новости, сам позвоню», — заявил он и добавил, что с Галиной виделся, она очень волнуется за мужа и просила Надежду его навестить.

Надежда и сама решила еще раз съездить в больницу: авось Виктор за ночь что-нибудь вспомнил.

Она поднялась на третий этаж и направилась по знакомому коридору. Сегодня здесь царило какое-то странное, нервозное возбуждение. Медсестры вполголоса о чем-то переговаривались, а при приближении Надежды замолкали.

Она остановилась перед палатой с номером 20 Б, деликатно постучала и толкнула дверь.

Низенькая полная нянечка перестилала постель, больше никого в палате не было.

— А вы куда? — неприветливо осведомилась нянечка, увидев в дверях Надежду.

— Я пришла больного навестить, — ответила Надежда удивленно.

— Какого это больного? — переспросила нянечка, поджав губы, и почему-то отвела глаза.

— Ну, того, который здесь лежал... — проговорила Надежда неуверенно. — То есть должен был лежать. Виктор Сизов...

— Который здесь лежал? — нянечка попятилась и быстро взглянула на Надежду. — А вы кем ему будете? — Но тут до нее дошли последние слова Надежды, и она облегченно выдохнула: — Ах, вы к Сизову! Так он же не здесь, он же в двенадцатой! Вы в двенадцатую идите, там он!

— В двенадцатую? — переспросила Надежда. — Но его вроде сюда собирались перевести...

— Мало ли что собирались! — в голосе нянечки звучало явное облегчение, от которого она стала более разговорчивой. — Эта палата платная, повышенной комфортности, и Роман Роланович лично распорядился, чтобы до оплаты сюда никого не переводить, вот его и не перевели, потому как оплата своевременно не поступила... так что ваш Сизов в двенадцатой, где и раньше был! Можете к нему зайти, там он, на месте!

— В двенадцатой... — протянула Надежда, выходя в коридор.

Возле дверей палаты стояли двое больных — один в красном спортивном костюме, другой в синем. Тот, что в синем, качая головой, негромко произнес:

— Вот ведь жизнь наша! Вчера только с ним разговаривал, а сегодня уже — того!

— Ну, Степаныч, — рассудительно ответил ему второй, — жизнь, она такая... только что был человек — и нету! Закон природы...

— Это понятно, Петрович, только я о другом. В каком отделении он лежал?

— Известно, в каком. В том же, что и мы с тобой. В неврологическом.

— То-то и оно, что в неврологическом! А умер он от чего?

— Сестричка говорила, что от сердца.

— То-то и оно, что от сердца! Так вот, Петрович, я считаю, что это непорядок. В каком отделении человек лежит — от того ему и помирать положено!

— Ну, это уж как кому повезет...

— И еще, Петрович, какая у меня мысль. Он ведь, человек этот, в какой палате лежал?

— Известно, в какой — вот в этой самой...

— Именно! А это какая палата?

— Известно, какая... платная, одноместная, с отдельными удобствами. Повышенной комфортности называется.

— Именно! Значит, богатый был человек. Ну, или, по крайней мере, не совсем бедный. А умер как...

Тут в коридоре появилась строгая медсестра и окликнула разговорчивых больных:

— Филатов, Мамонов, вы что здесь прохлаждаетесь? На процедуры быстро! Шура давно дожидается! Вечно вас по всему отделению искать приходится!

Больные смущенно переглянулись и затрусили в дальний конец коридора.

В двенадцатой палате было шумно. Возле окна двое больных раннего пенсионного возраста играли в шашки, комментируя каждый ход и обмениваясь цветистыми репликами, явно непригодными для женских ушей. Еще один пациент разговаривал по телефону, причем так громко, что было непонятно, зачем ему телефон, — казалось, он мог напрямую докричаться до своего собеседника. Еще один — толстый лысый дядька, похожий на артиста Леонова, — увлеченно слушал допотопный радиоприемник, поставив его себе на живот. Шла трансляция какого-то матча, и больной бурно реагировал на каждый гол или удачный пас.

Виктор полулежал на своей кровати, тоскливо глядя в потолок. Заметив приближающуюся Надежду, он прибавил во взор страдания и простонал:

— Надя! Надюша! Ты пришла!

— Как видишь, — строго ответила Надежда. Она не хотела баловать Виктора слишком мягким отношением.

— Ох, Надя, это такой кошмар! — забормотал он, понизив голос. — Такой ужас!

— Да в чем дело-то?

— В чем? Да вон тот тип, Спиридонов... — он показал глазами на мужчину с приемником, — до полуночи слушает свое радио и все время что-то бормочет, как будто спорит с ведущим... А Кувалдин — один из тех двоих, что в шашки играют, — храпит! Да так храпит, что глаз не сомкнуть...

— Сам храпишь! — отозвался игрок, отличавшийся, судя по всему, отменным слухом.

— Ты видишь, какие тут условия? — простонал Виктор. — Я так долго не вынесу! Я три ночи не спал... я устал...

— Мне бы заснуть, отдохнуть... — подхватила Надежда.

— Да, конечно, — Виктор взглянул на нее подозрительно, почувствовав в ее словах какой-то подвох.

— Но только я лег — звонок! — Кто говорит? — Носорог!

— Что ты несешь? — обиделся Виктор. — Какой еще носорог?

— Да не кипятись! — усмехнулась Надежда. — Это цитата... детское стихотворение...

— Мне не до стихов! — проворчал Виктор. — Я действительно очень устал...

— Придется потерпеть! — сухо проговорила Надежда. — Представь, в каких условиях сейчас твоя жена... вот кому действительно не позавидуешь! А ты скоро выздоровеешь и выйдешь отсюда.

— Да, конечно, Гале не позавидуешь. Но все же здесь так тяжело, так тяжело... нельзя ли что-то придумать? — и он с артистичной мольбой взглянул на Надежду.

— Это ты о чем?

— Ну, помню, я как-то лежал в отдельной палате... там было гораздо удобнее, по крайней мере, тише...

— Помнишь? — ухватилась Надежда за ключевое слово. — Значит, ты начинаешь что-то вспоминать?

— Ну, не то чтобы четко, но какие-то отдельные картины начинают всплывать...

— Очень хорошо! Лежи, вспоминай... это очень важно! Постепенно из этих отдельных картин сложится целое. Самое главное — постарайся вспомнить то, что случилось в тот роковой вечер в ресторане. Так мы сможем помочь Гале.

— Я пытаюсь... — вздохнул Виктор. — Но если бы была отдельная палата, процесс пошел бы лучше...

— Обойдешься!

— И кормят здесь ужасно. Вчера на ужин подали селедку и кефир — ты можешь себе представить?

— Ну, в больницах кормежка всегда не очень, но я тебе готовить не буду — у меня свой муж есть и дела. Твою, между прочим, жену пытаюсь вытащить.

— Да, я понимаю...

— Вот яблок тебе принесла, мытые... — она положила пакет на прикроватную тумбочку. — Ешь, витамины тебе нужны. Это хорошие яблоки, сорт «зимний банан». Ешь и вспоминай... Я в тебя верю! И мыло еще вот, и щетку зубную новую принесла, а то ведь завшивеешь тут, без мыла-то...

— А полотенце? — заныл Виктор. — Больничное все в дырах...

— Обойдешься!

Выйдя из палаты, Надежда задумалась.

Вчера та загадочная женщина — якобы соседка Виктора — собиралась оплатить для него отдельную палату. Это показалось Надежде странным: ведь Галина говорила, что после болезни Виктора со всеми соседями они перессорились. Ну да ладно — это отдельный вопрос. Во всяком случае, палату она не оплатила. Возможно, потому, что ее спугнула Надежда, что само по себе выглядело подозрительно: честному человеку скрывать нечего и убегать от посторонних он не станет, ответит на все вопросы. А если и не захочет отвечать, то хотя бы бросит через плечо: мол, это вас, дама, не касается, почему я Виктора навещаю; короче, не твое собачье дело и не лезь, куда не просят.

В итоге в платную палату положили другого человека, и в ту же ночь он умер...

Ну, в конце концов, всякое бывает. Больница — она потому и больница, что в ней лежат больные, а не спортсмены или космонавты.

И время от времени они умирают, несмотря на самоотверженную работу медиков. Но как верно заметил больной в красном спортивном костюме, пациент из платной палаты умер не от того, от чего его лечили. А это уже непорядок...

Да ладно, возразил Надежде внутренний голос, это всего лишь совпадение. Пациент умер от сердечного приступа, а это — самая распространенная причина смерти. Особенно у мужчин после сорока. Эти вообще в группе риска.

И все же что-то во всем этом было странное...

Надежда Николаевна почувствовала характерное покалывание в кончиках волос, которое всегда у нее появлялось в подозрительных случаях. Ей все не нравилось. Приходит какая-то подозрительная баба, хочет поместить Виктора в отдельную палату — и нате вам, ночью в этой палате умирает больной, который, на свою беду, решил улучшить больничные условия. Нет уж, никакой платной палаты для Виктора! Пускай все время на людях находится, так оно спокойнее.

Дежурная сестра выключила телевизор в холле, разнесла больным градусники и таблетки и ушла в сестринскую. Ходячие больные разошлись по своим палатам, и в отделении снова наступила беспокойная ночная тишина.

Виктор Сизов заснул, и ему привиделся странный сон. Какая-то женщина сердито выговаривала ему непонятно за что, смотрела строго и неприязненно, грозила пальцем, как нашкодившему ребенку... А потом появился мужчина. Он размахивал кулаками, кричал что-то злое, бессвязное... постепенно этот крик стал и вовсе нечленораздельным, превратившись в громкий хрип, а точнее храп.

Виктор проснулся. Храп ему вовсе не привиделся — сосед по палате и в самом деле громко храпел. Сизов вспомнил, как кто-то ему рассказывал, что, если посвистеть, храпун затихнет. Он принялся тихонько посвистывать, и на какое-то время храп прекратился, но через минуту возобновился с новой, поистине богатырской силой.

Виктор понял, что заснуть больше не удастся, и от нечего делать стал вспоминать прерванный сон. Женщина, которая его отчитывала... ведь это была Валентина, соседка с нижнего этажа. А появившийся позднее мужчина — ее муж, Анатолий. Почему он так сердился? И тут Виктор вспомнил, что с ним и правда случилось нечто странное. Они с Валентиной ехали в лифте. Вдвоем. Он что-то сказал или даже сделал... Валентина оттолкнула его и резко отчитала. Но что он мог сделать?

Надя рассказала ему, что после болезни он начал приставать ко всем женщинам, знакомым и незнакомым, из-за чего они перессорились со всеми соседями. Те высказывали Галине свои претензии, она оправдывалась жалким голосом, а потом просила его взять себя в руки...

Что было дальше, Виктор не помнил. Помнил только, что потом была другая соседка, совсем молодая женщина с коляской, и какой-то парень замахивался на него, а Галина хватала парня за руки и показывала какие-то бумаги с печатями. В конце концов тот плюнул и ушел, а Галина вдруг села на пол и заплакала.

Выходит, Надежда ничего не выдумывала и не преувеличивала? Поначалу Виктор не до конца ей поверил, но этот странный сон... да и не только сон...

Стыдно-то как! Неужели он и правда вел себя как последний дурак? Это ведь совсем на него непохоже. Но тут в голове начали всплывать разрозненные фрагменты воспоминаний, как будто осколки разбитого зеркала. Зеркала, в котором отражался большой период его жизни. Если верить Наде — целый год.

А Наде он верил. Она всегда была толковой и здравомыслящей женщиной. Вот только откуда она взялась в его жизни после большого перерыва? Ах да, она говорила, что они встретились пару дней назад в ресторане...

Зацепившись за обрывки сна, Виктор попытался восстановить в памяти другие кусочки пропавшего года.

Он снова вспомнил сцену в лифте. Валентина была в легком цветастом платье — значит, дело происходило летом, а сейчас зима. Странная зима — без снега, без морозов. Но тогда точно было лето. Куда же пропало все остальное — конец лета, осень?.. Как восстановить это утраченное время?

Напрягая память, Виктор вспомнил еще кое-что.

Сразу после той неприятной сцены он разговаривал с Галей. Жена была очень расстроена, о чем-то его просила... Она все время о чем-то его просила, ныла, канючила, пилила... Тогда Сизова это раздражало, он отмахивался от нее, громко кричал и даже обзывал грубо. Галя же только жалостно моргала и молчала.

Она очень плохо выглядела — похудела, побледнела, осунулась. Была совсем на себя не похожа. Он заметил это неожиданно, как будто глаза открылись. «Что с тобой? — спросил. — Ты больна?» Она посмотрела удивленно: «Это же ты болен, а не я...»

«Бедная, — сказал он, — ты устала, измучилась». И Галя не выдержала, расплакалась. Но потом взяла себя в руки, вытерла глаза и даже робко улыбнулась. Улыбка проступила сквозь непросохшие слезы, как солнце сквозь тучи. Она погладила его по щеке и проговорила с неожиданной нежностью: «Ничего, мы справимся, мы все преодолеем... А что похудела — это даже хорошо, я снова влезла в свои старые платья, не придется новые покупать...»

Виктор лежал в темноте и вспоминал, вспоминал — собирал, словно осколки разбитого зеркала, осколки своей жизни, своего прошлого...

Платья... Он вспомнил, как жена крутилась перед зеркалом в длинном бирюзовом платье и отчего-то вздыхала. «Сидит-то неплохо, но такое давно уже никто не носит», — бормотала она.

Надежда показывала ему фотографии из ресторана, и на них Галя была в этом самом платье. Значит, это они собирались на встречу однокурсников. Что же там произошло? Почему он не может вспомнить?

Виктор почувствовал, что от натуги его голова вот-вот лопнет, и вспомнил наставления доктора не напрягаться. Дескать, воспоминания сами придут, когда будет нужно. А если ему нужно сейчас?

Голову заволокло серым туманом, и через минуту Виктор забылся тяжелым сном.

С утра Надежда ждала звонка адвоката, но не дождалась. Сама же звонить ему не решилась и принялась за неотложные домашние дела, которых, надо сказать, было гораздо меньше, чем обычно, поскольку муж отсутствовал. Освободившись, она поговорила с котом, чтобы тот не скучал и вел себя прилично, и отправила адвокату сообщение, спрашивая, как продвигается дело. Ответа не последовало.

Когда стрелки часов начали приближаться к двенадцати, Надежда Николаевна стала потихоньку накаляться. Не нравился ей этот адвокат. Обещал же держать в курсе дела, делиться информацией, а сам молчит как рыба. Значит, сказать ему нечего. По всей видимости, ничего он не сделал, хоть и заломил несусветные деньги. Ох, не зря ли Надежда с ним связалась?..

Она послонялась немного по квартире и все же решилась позвонить сама. В первый раз адвокат сбросил звонок, а потом недовольно буркнул в трубку, что перезвонит.

— Когда?! — заорала Надежда, но из трубки уже неслись короткие сигналы отбоя.

На сегодня у нее была назначена встреча с секретарем Котовича, других дел полно, а этот тип даже не хочет с ней разговаривать!

Когда она уже стояла в прихожей и красила губы перед зеркалом, зазвонил мобильник.

— Слушайте, что вы себе позволяете? — возмущенно проговорила Надежда. — Второй день жду от вас известий, места себе не нахожу, а вы звонок сбрасываете!

— Надя, это я, — раздался в трубке голос мужа.

И Надежда тотчас оторопела — попалась. Сейчас Сан Саныч поймет, что у нее опять что-то случилось, и, зная свою жену, тотчас уверится, что случилось что-то криминальное, и она, Надежда, занимается очередным расследованием.

— Надя, что случилось?

— Да что случилось... — тяжело вздохнула она. — Просто не знаю, как сказать...

— Бейсик? — ахнул муж. — Что-то с котом?

И, поскольку Надежда медлила с ответом, прикидывая, что можно сказать, а чего ни в коем случае нельзя, муж закричал душераздирающим голосом:

— Надежда, немедленно говори, что с котом?!

Сан Саныч очень трепетно относился к коту, а проще говоря — обожал его до потери пульса. Иногда Надежда думала, что и женился-то он в свое время на ней исключительно из-за кота. Но такие мысли посещали ее нечасто, а только в редкие минуты слабости.

— Да ничего с твоим котом не случилось, — сухо ответила Надежда. — Жив и здоров, вон на диване валяется. Привет тебе, между прочим, передает.

— Это точно? — голос мужа прерывался, и Надежда словно воочию увидела, как он схватился за сердце. — Может, ты меня подготавливаешь? Может, с ним что-то случилось? Надя, скажи как есть. Горькая правда лучше, чем сладкая ложь! Он что, выпал из окна? Или ты закрыла его на ночь на балконе, и он замерз насмерть?

— Да с чего ты взял-то? — возмутилась Надежда. — Что я, ненормальная?

— Отравился консервами? Я ведь говорил тебе, чтобы не покупала ему еду в том магазине, там грязно...

— Саша, остановись! С тобой невозможно разговаривать. Вот что. Если ты мне не веришь, я сейчас сфотографирую Бейсика и пришлю тебе снимок. Ты убедишься, что с твоим обожаемым котом все в порядке, и не станешь меня больше беспокоить.

Надежда обиженно отключилась, чтобы муж не успел спросить, что же у нее случилось и с кем она так грубо разговаривала по телефону.

Кот долго не хотел просыпаться, потом отказывался смотреть на Надежду, так что она провозилась минут десять, чтобы получилась хорошая фотография. После того как эсэмэска ушла, муж снова пытался прорваться на мобильник, но Надежда сбросила звонок. Пускай думает, что она обиделась. Хорошо бы вообще отключить телефон, но вдруг адвокат позвонит? Хотя вряд ли.

Надежда взглянула на часы и чертыхнулась: время стремительно бежит, а дело стоит. Велев Бейсику хорошо себя вести, она отправилась на встречу с секретарем Котовича.

Надежда Николаевна вошла в холл бизнес-центра. При виде хмурой женщины в металлических очках, сидящей в стеклянной будочке перед турникетом, она вспомнила годы работы в НИИ. В те времена вахтерами, а точнее, как тогда говорили, бойцами вневедомственной охраны, работали похожие неразговорчивые женщины, державшие в страхе всех сотрудников: от молодых специалистов до степенных начальников секторов и отделов. За минуту опоздания они могли даже отобрать пропуск, что сулило кучу неприятностей. Зато Надежда приобрела бесценный опыт общения с ними.

Над головой вахтерши висели два строгих, красиво отпечатанных плаката: «Вход торговым агентам строго воспрещен» и «Вход в бизнес-центр исключительно по документам».

В данный момент вахтерша препиралась с молодой девушкой, которая пыталась пройти в бизнес-центр, предъявляя мобильный телефон.

— Что ты мне его суешь? — клокотала от возмущения вахтерша. — Читать умеешь? Видишь, что здесь написано? Вход исключительно по документам! И документы положено предъявлять в раскрытом виде!

— Да вот же, я вам и показываю фотографию своего паспорта! Чем вас мой паспорт не устраивает?

— Мне не фотография нужна, а документ с печатью! Ты русские слова понимаешь?

— Что же мне, всюду с собой подлинник паспорта носить? Мы живем в электронную эпоху, у нас теперь все в телефоне, а вы как в каменном веке документ требуете!

— Да, документ! Такой порядок, чтобы документ предъявлять! И обязательно чтобы с печатью! И непременно чтобы с фотографией! И непременно в раскрытом виде! Не знаю я, каменный век, или железобетонный, или другой какой, а порядок есть порядок! Или предъяви документ, или пускай человек, к которому ты пришла, спустится и тебя проведет!

— Ну, сейчас я позвоню...

— И не задерживай людей, вон женщина ждет... — вахтерша кивнула на Надежду.

Девушка отступила в сторону и принялась набирать номер.

Надежда подошла к турникету с некоторой робостью. Вахтерша все еще клокотала от возмущения и поделилась с ней своими эмоциями:

— Нет, вы видели ее? Ну, молодежь пошла! Никаких правил не признают! Как будто не для них написано! Написано ведь, чтобы документ, а она мне телефон сует! Вот вы, женщина, понимаете, что должен быть порядок?

Надежда Николаевна протянула вахтерше свой документ. Та вытаращила глаза, сдвинула очки на кончик носа и уставилась на пластиковую карточку.

— Это что?

— Пропуск, — невинным тоном ответила Надежда.

— Пропуск в бассейн!

— Ну да, в бассейн. А чем вам не документ? Печать есть, фотография есть... У вас написано, что нужен документ, но не указано, что именно паспорт.

Вахтерша заколебалась, и Надежда нанесла последний удар:

— Если сомневаетесь, можете позвонить в фирму «Проминвест», меня ждут.

Вахтерша пару раз моргнула, но не нашлась что ответить, и Надежда с гордо поднятой головой прошла через турникет.

Фирма «Проминвест» располагалась на втором этаже.

Надежда толкнула дверь — и на нее тут же налетела заполошная женщина в брючном костюме нежно-крысиного цвета.

— Вы от Велимирова? Мы вас давно ждем, все готово! Вы будете проверять?

— Что проверять?

— Как — что? Вы ведь от Велимирова? Из спорткомплекса? Так будете проверять или сразу грузить? Мы уже все приготовили, но если вы хотите проверить...

— Да нет, я совсем по другому делу.

— Как — по другому? Нам с вахты позвонили, сказали, что пришел человек из бассейна. А мы как раз ждем...

— Да она все не так поняла! Я вообще-то к Юлии Борисовне. Я ей звонила...

— Ах, к Юлии Борисовне... — женщина резко поскучнела. — Это вам прямо по коридору, вторая дверь справа.

Надежда Николаевна поблагодарила ее и пошла в указанном направлении, но едва сделала несколько шагов, как заполошная особа крикнула ей в спину:

— Только не называйте Юлию Борисовну секретарем! Она помощник директора!

Надежда еще раз поблагодарила собеседницу, нашла нужную дверь и оказалась в небольшой приемной. За офисным столом с компьютером и двумя старомодными телефонами сидела коротко стриженная брюнетка средних лет с озабоченным выражением лица.

— Здравствуйте, Юлия Борисовна! — проговорила Надежда. — Вячеслав Павлович сказал, что вы мне поможете.

— А вы, наверное, по поводу того инцидента в ресторане, на юбилее Вячеслава Павловича...

— Совершенно верно.

Юлия Борисовна указала ей на свободный стул и, стремительно пробежав пальцами по клавиатуре компьютера, подняла глаза на Надежду:

— Чем конкретно я могу вам помочь?

— Ведь это вы обзванивали всех гостей по списку?

— Ну да, конечно. Кто же еще? Вячеслав Павлович поручил мне это. Он всегда поручает мне подобные вопросы, потому как знает, что на меня можно положиться. А я всегда так делаю: прежде чем посылать официальное приглашение, непременно выясняю, как настроен человек, собирается ли прийти или только для виду соглашается. Тогда не будет никаких ошибок и накладок.

— Как же так получилось, что убитую женщину никто не знал? Ведь она пришла на юбилей, сидела с вами за столом.

— Что я вам могу сказать?.. Я знаю только наших сотрудников, но остальных... я же не могу знать всех, к примеру, членов семьи. — Юлия Борисовна пожала плечами.

— Хорошо, давайте пройдемся по этому списку. Сколько всего гостей должно было прийти?

— Вот этот список... — Юлия Борисовна вывела на экран аккуратно составленный список и повернула монитор так, чтобы Надежда могла его видеть. — В ресторане был заказан банкет на пятьдесят персон. Понимаете, нам сказали, что если сделать заказ на пятьдесят человек, то предоставят большую скидку, и это выйдет намного дешевле, чем, к примеру, сорок пять или даже сорок. Поэтому Вячеслав Павлович распорядился пригласить именно пятьдесят человек. Он очень экономный и строго следит за расходами...

— Это я уже поняла. — Надежда чуть заметно улыбнулась. — Но я вижу, что в вашем списке пятьдесят четыре человека, а вы говорите, что заказали банкет на пятьдесят персон. Как же так?

— На практике всегда приходит на десять процентов меньше людей, чем приглашено. Это закон природы, можете мне поверить. Кто-то заболеет, кто-то неожиданно уедет в отпуск или по делам... а Вячеслав Павлович, он... как бы сказать... экономный, ну, я вам уже говорила, и если бы я заказала банкет с большим запасом, он был бы недоволен.

— А если все придут?

— Так не бывает! — Юлия Борисовна покровительственно улыбнулась. — Я же говорю — закон природы! У меня по этой части большой опыт, и такого никогда не было!

— И сколько же пришло гостей?

— Сорок семь человек. Как видите, не пришло даже больше десяти процентов...

— Ну, давайте посмотрим, кто у вас в списке.

— Давайте. Сначала — сотрудники фирмы. С этими проще, я их всех знаю поименно. Было приглашено тридцать пять человек, пришло тридцать два. Васильев из технического отдела сломал ногу — он спортсмен, занимается греко-римской борьбой, у Сильвии Романовны из бухгалтерии заболел кот, а Николай Васильевич из хозчасти неожиданно уехал к дочери на Сахалин.

По аналогии Надежда Николаевна вспомнила про сегодняшний разговор с мужем насчет кота и помрачнела. Пусть она не стала брать трубку, когда он перезванивал, но когда-нибудь ведь придется объясниться. Сан Саныч явно что-то заподозрил, а она не могла пока придумать никакой правдоподобной истории. Не рассказывать же ему, что случилось на самом деле!

— Далее, — продолжала Юлия Борисовна, — важные заказчики и контрагенты. Было приглашено десять человек, из них пришли восемь. Господин Севостьянов с супругой улетели на Корсику.

— Хорошо, — Надежда делала пометки в своем блокноте. — Получается сорок человек, а пришли сорок семь. Кто эти семеро?

— Все остальные — личные друзья и давние знакомые Вячеслава Павловича.

— Он что, тоже вам поручил их пригласить? — удивленно спросила Надежда.

— Ну да, он так привык.

— Даже собственным друзьям лично не позвонил? Как-то странно...

— Ну, мало ли, забудет или что-то перепутает. С ним подобное случается. А так он знает, что на меня можно положиться и что я никогда ничего не забуду, все сделаю правильно и своевременно. — Юлия Борисовна смотрела твердо, давая этим понять, что обсуждать своего начальника с Надеждой не собирается.

Что ж, это очень хорошее качество для секретаря, то есть помощника, конечно.

— И вы всех обзвонили?

— Ну а как же! Раз мне поручено — я все непременно сделаю, у меня такое правило.

— И что? Все пришли?

— Нет, не все... — Юлия Борисовна снова сверилась с компьютером. — Приглашено было больше чем семеро. Васильевы, муж и жена, они с Вячеславом Павловичем в институте учились...

— Пришли?

— Пришли. Очень, кстати, приятные люди. Дальше, Копытченко, то ли двоюродный, то ли троюродный брат. А может быть, племянник, я не разобралась. Тоже с женой. Пришли, но лучше бы их не было. Этот Копытченко напился и всех задевал. Чуть драку не устроил. Еле его успокоили.

— Так, это, если я не обсчиталась, получается сорок четыре приглашенных, остается еще трое. Число, кстати, нечетное, значит, кто-то был без пары?

— Ну да, Серафима Самсоновна, тетка Вячеслава Павловича, одинокая. Она пришла с какой-то сопровождающей, сказала, что одна никуда не ходит. Ну, может, и правда болеет. Все же возраст... Еще Варенцовы, какие-то давние знакомые. Обещали прийти, но не появились. И последний — Корюшкин Владимир Степанович, давний друг.

— С женой? — уточнила Надежда.

— Да, должен был прийти с женой, но не пришел. Я, кстати, как раз с женой и говорила. Она сказала, что непременно ему передаст.

— Ну а кто же такая та блондинка? — Надежда строго посмотрела на Юлию Борисовну. Утверждает, что у нее полный порядок, а тут появилась никому не известная особа...

— Понимаете... — помощница отвела глаза, — Вячеслав Павлович, он немного такой...

— Экономный.

— Вот именно, и требует отчета во всем. Но не могла же я пересчитывать гостей по головам, как в детском саду? — в голосе Юлии Борисовны послышались слезы. — Неудобно было подходить и проверять каждого по списку, ведь это юбилей, а не конференция и не производственное собрание. В общем, эта женщина... я не уследила за ней, да и не стояла передо мной такая задача.

— Понятно, — вздохнула Надежда. — Значит, пожалуйста, распечатайте мне список гостей со всеми телефонами, и я не буду вас больше отвлекать от работы.

Распрощавшись с Юлией Борисовной, Надежда вернулась домой, положила перед собой заветный блокнот с записями, а также листок, распечатанный Юлией Борисовной, и вооружилась телефоном.

Сотрудников фирмы «Проминвест» она сразу отбросила — убитая блондинка была явно не из их числа, иначе бы ее сразу же узнали, в первую очередь сама Юлия Борисовна. Из второй части списка не пришли на юбилей супруги Севостьяновы.

Надежда набрала номер, который ей дала Юлия Борисовна, но услышала равнодушный голос автоответчика: «Вы позвонили Андрею Леонидовичу Севостьянову. К сожалению, сейчас я не могу вам ответить. Если у вас важное сообщение — оставьте его после звукового сигнала. Но только если оно действительно важное».

Надежда ничего не оставила. Стало быть, супруги Севостьяновы и правда улетели отдыхать на Корсику. Что ж, хорошего им отдыха. Она набрала следующий номер, принадлежащий Анатолию Федоровичу Варенцову.

— Слушаю! — раздался жизнерадостный мужской голос. Судя по звучанию, его обладатель что-то жевал.

— Анатолий Федорович? — промурлыкала Надежда.

— Да, это я... — Видимо, Варенцов прожевал то, что у него было во рту, и теперь его голос звучал отчетливее.

— Это помощница Вячеслава Павловича Котовича. — Надежда решила представиться чужим именем, чтобы вызвать большее доверие. Она рассчитывала, что ее собеседник не запомнил голос Юлии Борисовны, который он слышал всего раз в жизни, и, по-видимому, не ошиблась.

— А, Славкина секретарша! — отозвался Варенцов.

— Помощница! — строго поправила его Надежда.

— Что?

— Не секретарша, а помощница.

— Мне без разницы — хоть секретарша, хоть референт. Так чего вы от меня хотите?

— Вас ведь приглашали на юбилей Вячеслава Павловича?

— Ну да. Вы, по-моему, и звонили.

— Совершенно верно. Но вы не смогли прийти. Вам что-то помешало?

— Не понял. Я что, отчитываться должен? Ну, не пришли — и что с того? Я ему не подчиненный, чтобы отчитываться...

— Извините, Анатолий Федорович, я вовсе не хотела вас обидеть. Просто Вячеслав Павлович поручил мне обзвонить всех, кто не пришел на его юбилей, и выяснить, по какой причине. Понимаете, он человек серьезный и...

— Ох, Славка! Узнаю его! Скупердяй, каких мало! Вроде не бедный человек, а над каждой копейкой трясется. Небось еда осталась, а ему денег жалко! Мне потому и не захотелось идти... Только вы, девушка, ему это, пожалуйста, не передавайте. Обидится, а мне это ни к чему... Скажите, что у меня жена заболела. Или нет, говорят, это плохая примета. Скажите, что собака... Нет, собаку тоже жалко, а про тещу он не поверит, хотя у меня с ней и неплохие отношения. Скажите, что у соседей трубу прорвало, и нас залило.

— Конечно, так и скажу.

Надежде было приятно, что ее назвали девушкой, но первый выстрел — точнее, звонок — ничего ей не дал.

Она зачеркнула в списке фамилию Варенцов и перешла к следующему номеру.

Корюшкин Владимир Степанович — напротив его фамилии стояло два телефонных номера: мобильный и домашний. Юлия Борисовна сказала, что мобильный не отвечал и тогда она позвонила по домашнему телефону, где ей ответила жена Корюшкина.

На всякий случай Надежда все же набрала мобильный номер, и ей тут же ответил грубоватый раскатистый бас:

— Корюшкин слушает! Это кто? Петрович, ты, что ли? Я тебе говорил — не звони...

— С вами говорит Юлия Борисовна, помощница Вячеслава Павловича Котовича.

— Ну и что тебе надо?

Надежда поморщилась от такой бесцеремонности, но взяла себя в руки и вежливо продолжила:

— Я хотела уточнить, вы ведь не были на юбилее Вячеслава Павловича?

— Само собой, не был! — пробасил Корюшкин. — Как я вообще мог быть на юбилее, если о нем не знал?

— Как — не знали?

— Да так! Мне никто не сообщил!

— Извините, Владимир Степанович, но я лично сообщила вашей супруге, и она обещала вам передать...

— Кому?! — проревел Корюшкин, как разбуженный посреди зимы медведь.

— Супруге... — неуверенно повторила Надежда.

— Какой еще супруге?!

— Ну, я не знаю... Ваш мобильный не отвечал, и я позвонила по домашнему... — Надежда продиктовала номер стационарного телефона, который получила от Юлии Борисовны.

— Да ты, коза, что учинила?! — перебил ее Корюшкин. — Ты что удумала? Ты куда позвонила?

— Куда? — испуганно переспросила Надежда.

— Да это же телефон бывшей моей! Я с ней уже пять лет не живу!

— Но я не знала. У меня этот номер записан, вот здесь, напротив вашей фамилии...

— Не знаю, что у тебя напротив чего, а только я там уже давно не живу!

— А она сказала, что передаст и что вы придете... — Надежда очень удачно изобразила испуг.

— Ага, передаст эта стерва, как же! Ну ты, коза, совсем не соображаешь! Тьфу!

— Сам козел! — сказала Надежда, отсоединившись. Она могла бы это сказать и лично господину Корюшкину, но не хотела подставлять Юлию Борисовну. У той и так жизнь несладкая с таким-то начальником. Он явно ее недостоин.

— И что мы в результате имеем? — спросила Надежда кота, появившегося, как обычно, неожиданно.

Надо же, весил кот ужас сколько и возраста был весьма солидного, а ступал по-прежнему неслышно. Конечно, когда он со шкафа прыгал, тогда у соседей снизу люстра тряслась и посуда в шкафу дребезжала... они даже жаловались.

— Так что мы имеем, Бейсик? — спросила Надежда.

«Не знаю, что имеешь ты, а лично я имею в качестве хозяйки легкомысленную вертихвостку, которая снова где-то бегает целыми днями и совершенно не заботится о коте», — просемафорил кот изумрудными глазами.

— Ты все о своем, — отмахнулась Надежда. — В общем, мы имеем подозрительную блондинку, которую никто не может опознать. Но по всему выходит, что она вполне может быть бывшей женой этого противного, невоспитанного Корюшкина. Говорила она с Юлией Борисовной? Говорила. Про то, что бывшая, не сказала? Не сказала. И Корюшкину ничего не передала, а сама зачем-то приперлась на чужой юбилей.

Надежда замолчала, задумчиво глядя перед собой, а потом продолжила свой монолог:

— Вот именно. Значит, для чего-то ей было нужно появиться в ресторане. И со временем мы выясним для чего. А пока необходимо узнать, кто такая эта бывшая жена Корюшкина.

«Больно надо!» — кот обиженно фыркнул и ушел спать в гостиную на диван.

К Корюшкину Надежда решила больше не обращаться — только на хамство нарвешься, а вместо этого позвонила Вадиму и попросила пробить домашний номер телефона, который получила от Юлии Борисовны.

Собственно говоря, у нее и самой была замечательная база данных, которую ей в свое время раздобыл человек из одной весьма могущественной и секретной организации. Надежда помогла ему разобраться в запутанном деле и, с негодованием отказавшись от всех житейских благ, которые он ей сулил, выпросила только базу данных. Так что можно было и самой все выяснить, однако ей хотелось посмотреть, как работает Вадик.

Тот не подвел, позвонил буквально через десять минут и рассказал, что данный телефон установлен в квартире пятьдесят два в доме номер семнадцать по улице Сверхсрочника Кучерявого, а владеет этой квартирой на правах собственности гражданка Корюшкина Оксана Дмитриевна одна тысяча девятьсот семьдесят восьмого года рождения. Даже серию и номер паспорта продиктовал.

— Фамилию, значит, не поменяла после развода, — пробормотала Надежда.

— Точно! — поддакнул Вадим. — Не поменяла. Замужем была за Корюшкиным Владимиром Степановичем, но брак расторгнут три года назад.

— А говорил, что пять лет там не живет... Ладно, Вадим, спасибо вам, дальше уж я сама.

— Обращайтесь, если что!

Надежда вышла из маршрутки на улице Сверхсрочника Кучерявого. Нужный ей дом стоял в глубине квартала рядом с большим сетевым универсамом.

Подходя к подъезду, Надежда Николаевна заметила полицейскую машину с включенной мигалкой и невольно замедлила шаги. Около машины курил долговязый парень в черной кожаной куртке. Еще один, похожий на него как две капли воды, разговаривал по мобильному телефону.

Надежда не раз задумывалась о том, влияет искусство на жизнь или жизнь на искусство? (Если, конечно, телевизионные сериалы можно считать искусством.) А именно: герои известных сериалов одеваются и ведут себя как полицейские, или же реальные полицейские копируют одежду и манеры популярных телевизионных персонажей?

Чуть в стороне от полицейских толпились любопытные, вполголоса обсуждая происшествие, разнообразившее их унылые будни. Мигалка полицейской машины попеременно окрашивала лица зевак то ядовито-розовым, то голубым светом. Впрочем, не все говорили вполголоса: одна особа — приземистая, краснолицая пенсионерка в розовом мохеровом берете — очень громко разговаривала с несколькими приятельницами, которые слушали ее, разинув рот.

Надежда подошла поближе к этой ораторше и прислушалась. На нее никто не обратил внимания, так как все были заняты.

— Значит, иду я мимо ее двери, смотрю — а она открыта. Ну, думаю, забыла запереть. Я к двери подошла, кричу: «Оксана! Оксана! Ты дома?» А она не отвечает.

Надежда насторожилась.

Оксаной звали бывшую жену Корюшкина, и она жила в этом самом доме, более того, в этом самом подъезде. Не о ней ли речь?

— А она, значит, не отвечает. Ну, я и заглянула...

— Батюшки! — ахнула одна из слушательниц — в сиреневом берете. — Как же вы, Аделаида Романовна, не побоялись?

— Я, Настасья Ильинична, в ночном магазине работала, а до того проводницей дальнего следования! Так что я жизнь знаю буквально как никто. Чего мне теперь бояться? В общем, вы будете слушать или перебивать?

— Я слушаю, слушаю!

— Значит, зашла я в прихожую и снова зову, погромче уже: «Оксана! Оксана!» А она по-прежнему не отвечает! Пошла я дальше, гляжу — а в квартире-то у нее все как есть перевернуто да разбросано!

— Может, собиралась куда, да все второпях и разбросала? — подала реплику Настасья Ильинична. — На самолет, к примеру, опаздывала или на поезд...

— Ох, вы уж лучше молчите! — одернула ее Аделаида Романовна. — Вы ведь не видели, так нечего и говорить, чего не знаете! Есть такие люди — говорят, чего не знают! Вот я, к примеру, не такая. Второпях! Да как бы женщина ни торопилась, она в своей квартире такую содому ни за что не устроит. — Она сделала выразительную паузу и продолжила: — Одежда вся из шкафов на пол выкинута, с постели все сброшено, на кухне сахар с солью по полу рассыпаны... в общем, натуральный погром. Однозначно, ограбили ее квартиру. Деньги искали или ценности какие, поэтому все и перевернули. Я, конечно, испугалась, на лестницу выскочила, а тут как раз Степан Порфирьевич идет, управляющий наш. «Что, — говорит, — Аделаида Романовна, с вами случилось? Что это на вас прямо лица нет? Может, вы заболевши?» Я ему все и обсказала. Что дверь открыта, что Оксаны нету, а дома у нее все вверх тормашками перевернуто. Он тогда и решил полицию вызвать. А то потом на нас скажут. А тут ясное дело — квартирная кража...

— А она что, богатая? — вмешалась в разговор третья женщина, в коричневом берете. — Было что красть-то?

— Насчет этого не скажу, — авторитетно проговорила Аделаида Романовна. — Вот раньше, пока Оксана с мужем жила, тогда она и правда как сыр в масле каталась. Идет по двору вся разодетая, как кукла: шуба не шуба, пальто не пальто... Опять же цацки разные, как елка новогодняя сверкала. А как муж ушел, так, видно, дела хуже пошли, она на работу устроилась...

— Ну, наверное, что-нибудь да осталось!

— Насчет этого врать не буду. Чего не знаю, того не знаю, — Аделаида Романовна поджала губы, — она меня в гости не приглашала, да я особо и не напрашивалась.

— На работу, значит, устроилась? — заинтересовалась женщина в коричневом берете. — Работу сейчас не так-то легко найти. Я вон с трудом в поликлинику устроилась, в регистратуру. Так и то прежде столько побегала...

— То дело вы, Марфа Петровна, или вот Настасья Ильинична. А Оксана — это совсем другое. Она молодая, опять же интересная, так что работу быстро нашла.

— Молодым и интересным мужика найти легко, а не работу!

— Работу, между прочим, тоже. Насчет мужиков, кстати, ничего сказать не могу — своими глазами не видела, а сочинять не приучена.

— И куда же она устроилась?

— Вот чего не знаю, того не знаю. Она ведь, Оксана-то, скрытная. Никогда слова лишнего не скажет. Только «здрасте» да «до свидания». Но на работу она точно ходила. Вы вот спросите Настасью Ильиничну, она ведь консьержка, все видит: кто когда уходит, кто приходит. Она вам лучше про это расскажет.

И Аделаида Романовна отступила, передав невидимый микрофон соседке.

— Да, на работу она точно ходила, — подтвердила Настасья Ильинична. — Утром всегда в одно и то же время уходила. Возвращалась, правда, по-разному: бывает, с полдня, а бывает, попозже. Я ее как-то спросила, какая же такая работа, что так рано отпускают, но она только фыркнула.

— И вот еще что я вам скажу. Я слышала, как эти... — Аделаида Романовна опасливо оглянулась на полицейских и понизила голос, — говорили, что взлома не было. Дверь в целости. Замок вроде как ключом открыт.

— Ну, тогда все ясно! — авторитетно проговорила консьержка. — Однозначно, это муж бывший постарался. Навредить ей хотел, а может, и ценности какие прихватил.

— Ну, это, конечно, не стопроцентно, — Аделаида Романовна снова выразительно поджала губы. — Разводились они вроде тихо, культурно, без скандалов, я ничего не слышала. Опять же, он уже лет пять как глаз сюда не кажет...

«Точно, не врал Корюшкин», — уверилась Надежда.

— А ей-то, Оксане, сообщили? Она сама где?

— А никто не знает! — консьержка развела руками. — Уж меня управляющий пытал, потом эти, из полиции: где хозяйка квартиры, куда она делась? В отпуск уехала или в командировку? А я сказала, что последний раз видела ее третьего дня вечером. Шла такая расфуфыренная, ясное дело — на свиданку собралась. Ну, женщина она молодая, одинокая, мое какое дело? И не было у нее никаких чемоданов, только сумочка маленькая. А эти мне: «Где она? Где она?» Да не знаю я!

«Зато я знаю, — подумала Надежда и, поймав на себе любопытные взгляды, отошла подальше. — В морге ваша соседка. И лежит там как неопознанный труп».

На улице настиг ее звонок адвоката.

— Лучше поздно, чем никогда, — не удержалась Надежда от ехидного замечания.

Однако адвокат ее сарказма не заметил.

— Дело трудное, — сказал он, — поскольку следователь попался неуступчивый и упертый. Никак с ним не договориться. Сама Галина, ясное дело, твердит, что никого не убивала, но пришли анализы крови, найденной у нее на руках и на платье: оказалось, что это кровь Сизова.

— Ну да, она пошла за мужем — не хотела его одного оставлять, а увидев, что случилось, сразу же к нему кинулась.

— Неизвестная убита ножом из кухни ресторана, нож опознали сотрудники. Ничьих отпечатков на нем нет, даже повара. Чем Сизова по голове приложили, полицейские понятия не имеют, рядом ничего подходящего не нашли.

— Да у них же нет никаких улик! — возмутилась Надежда. — Долго еще они будут Галину в камере держать?

— Пока другого подозреваемого не найдут...

— А что будет, если я вам скажу, что убитую зовут Оксана Корюшкина, и все ее данные предоставлю? Кстати... Как раз в эти минуты у нее в квартире работает полиция, поскольку квартирку-то недавно ограбили. Уж что вынесли, не знаю, но в квартире все вверх дном, как соседка говорит. А эксперт однозначно сказал, что двери ключами открыли, а не ломали.

— Сведения у вас точные? — оживился адвокат.

— Из первых рук, — усмехнулась Надежда. — И вот еще что: сумочку убитой ведь не нашли, маленькую такую? Я ее на месте преступления не видела.

— Точно, не нашли, пропала сумочка... Так что теперь вполне можно говорить об ограблении, а не об убийстве из ревности. Спасибо, Надежда Николаевна, вы мне очень помогли! С этими сведениями я следователя дожму.

— Только действуйте как-нибудь поосторожнее, — занервничала Надежда. — Мое имя нигде не должно упоминаться.

— Не извольте беспокоиться, я же профессионал! Вытащим вашу подругу буквально завтра.

— У убитой, между прочим, имеется муж. Бывший, — поддала жару Надежда. — Вполне на роль подозреваемого подходит.

Она решила, что хаму Корюшкину не вредно будет малость поволноваться. Конечно, от убийства он отмажется, но нервы в полиции ему потреплют прилично. Там уж он не станет рычать, как медведь, которому до весны поспать не дали.

В следующий раз адвокат позвонил уже вечером, и голос его был радостным и оживленным. Он сказал, что для Галины удалось добиться смягчения меры пресечения: ее выпустили под подписку о невыезде. То, что квартиру убитой ограбили, сыграло Галине на руку. Теперь следователю предстояло отрабатывать все связи Корюшкиной, и в первую очередь допросят бывшего мужа.

Надежда удовлетворенно хмыкнула и хотела уже повесить трубку, но выяснилось, что без нее снова нельзя обойтись. Галину должны были освободить на следующий день в одиннадцать часов, и она слезно просила Надежду привезти ей чистую одежду. Больше Галине обратиться было не к кому.

Они договорились, что адвокат утром передаст Надежде Николаевне ключи, а уж что взять, она сама разберется.

Рано утром позвонил муж и грозно поинтересовался, что вообще происходит? Почему Надежда сбрасывает его звонки и только посылает фотографии кота? Кот, конечно, фотогеничный, но у него их и так полно.

— Ты только о Бейсике и волнуешься! — проворчала сердитая спросонья Надежда.

— Надя, ты заболела? — тут же забеспокоился Сан Саныч.

— Да не я... — Она решила, что полуправда лучше, чем сплошная ложь, и рассказала, что вечер встречи однокашников закончился печально, поскольку одному из гостей стало плохо и его прямо из ресторана увезли в больницу. Оказалось, инсульт. И теперь Надежда вынуждена его навещать, потому что его жена сама нездорова, и вообще, у нее совершенно руки опустились.

История была шита белыми нитками, но муж кажется, поверил. Одно слово — мужчина.

Взглянув на часы, она поняла, что опаздывает на встречу с адвокатом. Хорошо хоть, потом он подвез ее прямо к дому, где жили супруги Сизовы.

В квартиру она попала без труда. Дверь была самая обычная, железная, ни замков навороченных, ни сигнализации.

Квартира выглядела чистой, аккуратной, но было видно, что нуждается в ремонте. Хотя бы обои переклеить и занавески обновить. Но, судя по всему, ни времени, ни денег у Галины не было, все на лечение мужа ушло.

Надежда спохватилась, что ни к чему квартиру осматривать, ее дело — собрать вещи да бежать поскорее, тем более что времени было в обрез.

Галина выглядела ужасно: еще больше похудела, под глазами залегли темные круги, как у больного лемура, возле губ прорезались две глубокие складки, кожа была нездорового землистого цвета.

Надежда при виде такого жалкого зрелища едва смогла совладать со своим лицом.

— Как Витя? — Галина бросилась к Надежде, и та едва не отшатнулась — до того сильный от нее шел запах — чего-то гнилого и химического. Значит, так пахнет тюрьма?

— Нормально твой Витя, — сказала Надежда, стараясь не дышать глубоко. — В себя пришел, лежит в палате, думает о жизни, пытается что-нибудь вспомнить.

— Как это — в палате? — забеспокоилась Галина. — Разве он не в реанимации?

— Зачем ему в реанимацию? — удивилась Надежда. — У него все нормально, скоро выпишут.

— Я должна ехать в больницу! Вы не могли бы... — она повернулась к адвокату, — вы не могли бы...

Надежда дернула ее за рукав. Адвокат деликатно отвернулся и направился на выход, бросив, что подождет в машине.

— Ты вообще соображаешь, что говоришь? — прошипела Надежда. — Ты на себя в зеркало смотрела? Какая больница?! Тебе домой надо немедленно! Вымыться, поесть и отдохнуть хоть немного! Да от тебя так воняет, что не то что в больницу — в ночлежку не пустят! Разве что тараканов морить!

— Но Витя... — Галина растерялась. — Как же он будет... он ведь там один...

— Не один. Палата на шесть человек, так что не скучно ему! — Надежда потащила Галину к выходу.

— Как — на шесть? Ему нужна отдельная палата, он в общей спать не может!

— Ничего, три ночи поспал и еще сколько-то перебьется! Говорю тебе — все с ним не так плохо, чувствует себя намного лучше. Только память еще не вернулась. Кто его по голове приложил, не помнит. Так что езжай сейчас домой!

Она схватила Галину за руку и буквально силой поволокла к машине адвоката. Хорошо хоть, ехать было совсем недалеко. Надежда хотела выйти у метро, но Галина вдруг попросила ее зайти. Вид у нее был нездоровый — глаза мутные, больные, язык заплетается, на лбу испарина.

— У тебя давление, что ли? — обеспокоилась Надежда.

— У меня пониженное всегда...

— Тогда кофе! — вынесла Надежда вердикт. — И непременно съесть что-нибудь калорийное! Но в таком виде тебя в кафе не пустят.

Адвокат был так любезен, что проводил Галину до дома, а Надежда в это время заскочила в ближайшую пекарню и купила там булочек и кофе на вынос, потому что у этой тетехи небось дома и кофе приличного не было.

Адвокат встретился ей на лестнице, а в открытую дверь уже совалась какая-то тетка в ситцевом халате.

— Вы это куда? — сурово спросила Надежда.

— А вы вообще кто? — тут же вызверилась на нее тетка.

«А твое какое дело?» — собралась достойно ответить Надежда, но сдержалась.

— Дайте пройти! — буркнула она, но тетка и не думала ее пропускать, а увидев в прихожей Галину, бессильно сидевшую на табуретке, закричала фальшивым голосом:

— Галя! Никак с Витей что плохое случилось?

— Типун тебе на язык, Валентина! — Галина даже очухалась малость и попыталась встать.

— Все у нас хорошо, никакой помощи не требуется, а если что — сами разберемся, так что идите, Валя, к себе. — Надежда с трудом выпихнула настырную тетку на лестницу и заперла дверь.

Галина со стоном скрылась в ванной.

— Давай быстрее, пока кофе совсем не остыл! — крикнула ей в спину Надежда.

Галина появилась через пять минут в цветастом халате. Она умылась и кое-как расчесала волосы. Халат был старый и вылинявший, однако чистый, запах тюрьмы и несчастья остался, но уже не такой сильный, можно было терпеть.

— Вкусно как! — Галина отпила капучино и откусила булочку. — А я кофе и не покупала. Вите нельзя, а я...

— А ты из солидарности себя вообще решила голодом уморить, — вздохнула Надежда.

— Надя, я тебе, конечно, очень благодарна, — Галина отставила чашку, — но кто дал тебе право... — Она посмотрела в глаза Надежде и тут же повинилась: — Прости, я не то говорю. Но... не дай тебе Бог такое с мужем пережить!

— Понимаю тебя, — мягко заговорила Надежда, — очень хорошо понимаю, но уж слишком ты его разбаловала. Он привык к такому уходу и даже от меня требовал чистого белья и калорийного питания. И отдельной палаты!

— Но он же болен...

— Да не болен он! Все у него нормально. И кстати, все свои прежние привычки бросил.

— Ты хочешь сказать... — Галина смотрела недоверчиво.

— Именно! Виктор теперь абсолютно нормально относится к женщинам. И даже возмутился, когда я ему про это рассказывать стала. Не поверил, решил, что я все выдумываю.

— Фантастика...

— Сначала вообще помнил только то, что до болезни было, потом кое-что начал вспоминать. В общем, может, и нехорошо так говорить, но похоже, что удар по голове ему мозги на место поставил.

— Надо же, просто не верится! Неужели этот кошмар кончился? Надо скорее ехать к нему. Хотя в таком виде...

— Вот именно. Он тебя помнит такой, какой ты была год назад, — цветущей, интересной женщиной, а тут такое чучело в больницу явится. Он тебя и не признает...

Галина бросила на себя взгляд в зеркало и ахнула:

— Боже мой, как я выгляжу! Мне только сниматься в фильме «Возвращение живых мертвецов»! Что же ты мне раньше не сказала?

— Да я только об этом тебе и толкую, а ты все Витя да Витя! Ни о чем другом слушать не хочешь!

— Нет, такой оставаться нельзя... Видеть себя не могу, надо хоть губы накрасить!

Галина достала из сумочки тюбик помады, мазнула по губам и удивленно поморщилась:

— Что за помада? Совсем не мой цвет! Он меня еще больше бледнит!

Она торопливо стерла помаду салфеткой, посмотрела на тюбик и подняла брови:

— Это не моя помада. У меня такой в жизни не было! Откуда она взялась в моей сумке?

— А где была твоя сумка? — насторожилась Надежда.

— Ну где... В полиции ее у меня забрали, а отдали только сегодня, когда выпустили.

— А до того? Она все время была у тебя?

— Ну, я точно не помню. Сама понимаешь, я тогда так переволновалась из-за Виктора, и вообще...

— И все же постарайся вспомнить! Знаешь, давай-ка расскажи подробно все, что помнишь.

— Ну, поговорили мы с тобой, и я пошла Витю искать, а то, думаю, опять к какой-нибудь женщине привяжется, она скандал устроит, а тут все знакомые, — неудобно. Что люди будут говорить?.. Сунулась в тот зал, где мы сидели, —

нет его. Тогда я отправилась в общий зал. Там музыка играла, все танцевали, Витю своего я не сразу заметила. Наконец вижу — батюшки, он к какой-то блондинке вяжется.

— Той самой?

— Ага, которая... которую потом... ну, ты меня понимаешь. Я к ним, да пока сквозь толпу пробиралась, они куда-то исчезли. Как сквозь землю провалились! Я туда-сюда, вижу — вроде Витя вдалеке мелькнул и вошел в тот пустой зал. Я туда побежала, захожу — а там... Эта блондинка на полу лежит вся в крови, Витя рядом без сознания и вокруг тоже кровь. До сих пор эта картина перед глазами. Ужас!

— Точно...

— Как я рядом не повалилась, до сих пор не понимаю. Принялась Витю тормошить, схватила его за голову, а тут откуда ни возьмись прибежала эта дура в жутких розочках и начала орать, как будто это ее зарезали. Музыку перекричала! Ну, потом люди подошли, потом...

— Дальше я знаю. А что насчет сумки?

— Ах, ну да, кажется, я уронила ее, когда бросилась к Виктору... сумочка раскрылась, содержимое рассыпалось по полу, а потом я кое-как все собрала...

— Может, тогда в сумочку и попала эта помада. Она принадлежит той блондинке...

— Откуда ты знаешь?

— Я не знаю, а предполагаю. В зале никого не было, так? Столы сдвинуты, стулья подняты, значит, незадолго до того уборка была. В ресторане всем заправляет Алина Сергеевна, а это такая женщина... у нее не забалуешь. Так что если бы кто-то раньше помаду потерял, уборщица бы ее нашла и отдала Алине Сергеевне, у нее для утерянных ценных вещей специальный ящик есть. Ну, помада, конечно, не бог весть какая ценность, и тем не менее...

Надежда тут же вспомнила, что сумку убитой так и не нашли. А женщина без сумки никуда не выйдет. Стало быть, сумочку унес убийца. Взял из нее ключи и залез в квартиру... как ее... Оксаны. А помада выпала, он ее и не заметил.

Надежда машинально повертела тюбик в руках и случайно нажала на его крышку. Внезапно та спружинила, соскочила с тюбика и упала на пол. Надежда подняла ее и заметила, что в крышке что-то есть.

— Интересно! — протянула она. — Тюбик-то с секретом!

Подцепив находку ногтем, она вытащила маленький фрагмент микропленки, гораздо у́же той, которой пользовались все фотографы — и любители, и профессионалы — до появления цифровой фотографии. Надежда Николаевна сталкивалась с такой пленкой в те годы, когда еще в качестве молодого специалиста работала в научно-исследовательском институте.

Она понадеялась, что микропленка прольет хоть какой-то свет на убийство блондинки.

По идее, Надежда могла бы оставить это дело, поскольку сделала все от нее зависящее. Ее просили найти адвоката для Галины — она нашла. И даже разузнала адрес убитой блондинки и то, что ее квартиру ограбили. Галину выпустили, а дальше уже дело адвоката договориться со следователем.

Надежде оставалось только принять положенную порцию благодарностей от супругов Сизовых, отчитаться насчет денег, да и идти восвояси. Но ей было ужасно интересно, кто же все-таки убил блондинку и для чего она притащилась на чужой юбилей.

— Что это такое? — удивленно спросила Галина, заглянув Надежде через плечо.

— Это кадр микрофильма. Мы в институте на таких пленках хранили нужную информацию и просматривали их через специальные оптические устройства. Они так и назывались — проекторы микрофильмов, сокращенно ПМФ. Были две основные модели таких проекторов — ПМФ-1 и ПМФ-2. Отличались форматом пленки и деталями конструкции. Ты должна помнить, ты ведь тоже в НИИ работала и наверняка ими пользовалась.

— Ну, когда это было! Сто лет назад. Каменный век. — Галина явно утратила интерес к пленке. Что ж, ее можно было понять, у нее своих проблем хватало.

А вот Надежду эта находка, наоборот, очень заинтересовала.

— Если не возражаешь, я посмотрю, что изображено на этом кадре, — сказала она.

— Да, конечно, ради бога... — отмахнулась Галина. — Делай с ним что хочешь. У меня, честно говоря, голова другим занята. Да и вообще, я же сказала, что этот тюбик не мой и я понятия не имею, как он попал ко мне в сумку.

Она все косилась на себя в зеркало и выглядела такой расстроенной, что Надежда даже немного успокоилась на ее счет, — теперь Галина займется своей внешностью и не станет трястись над муженьком. А вот интересно, если бы она его грудью не прикрывала и кто-то из возмущенных мужей набил бы ему морду, может, мозги у Виктора и раньше бы встали на место?

Надежда Николаевна поскорее откланялась и устремилась домой.

Положив фрагмент микропленки на стол, она задумалась. Как писали раньше под картинкой в газете: что бы это значило? Допустим, помада принадлежала убитой блондинке, которая сделала в тюбике тайник, чтобы спрятать в нем микропленку. Допустим, что блондинка таким сложным способом проникла в ресторан, чтобы увидеться с кем-то на людях, потому что так просто встречаться с этим человеком она боялась. И не зря боялась, как выяснилось.

И что ей, Надежде, теперь делать? Определить человека, с которым должна была встретиться Оксана Корюшкина, не представлялось возможным — мало ли народу было в ресторане в тот вечер...

Значит, надо попытаться прочитать то, что записано на микропленке. Может быть, это что-то даст. Разглядеть изображение невооруженным глазом не получится. Нужно его как-то увеличить. Но как?

В институте они пользовались специальным проектором, но сейчас таких проекторов днем с огнем не найдешь. Кому они нужны, если все хранится в компьютерах?

И тут Надежду осенило.

Она вспомнила, как в детстве с подружками смотрела диафильмы — целлулоидные пленки, на которых размещались кадры какой-нибудь сказки или детской истории, сопровождаемые титрами. В каждом доме, где были дети, имелся диаскоп — специальный проектор, чтобы просматривать эти фильмы на самодельном экране или просто на стене.

Детский диаскоп Надежды сохранился, и когда у нее появилась дочь, она тоже смотрела диафильмы при помощи старого проектора. Но потом и Алена выросла, вышла замуж и уехала с мужем на Север. А диаскоп наверняка давно уже отправился на помойку, потому что техника шагнула вперед семимильными шагами, а на смену допотопным проекторам пришли сначала видеомагнитофоны с кассетами, потом плееры для лазерных дисков, а потом и современные компьютеры и ноутбуки.

Надежда Николаевна не хранила старые, ненужные вещи и легко с ними расставалась, освобождая квартиру для новых вещей и новой жизни. Но ее второй муж, Сан Саныч, напротив, был человеком сентиментальным и хранил много совершенно бесполезных, с точки зрения Надежды, вещей. Особенно тех, которые были связаны с его сыном, — игрушки, первые школьные тетрадки, дневники с пятерками. Сын с семьей сейчас жил в Канаде, Сан Саныч по нему скучал, хотя и не признавался в этом Надежде.

Надежда знала, где муж хранит детские вещи, и подумала, что среди них вполне может оказаться проектор для диафильмов. Она залезла на антресоли, с трудом нашарила в глубине картонную коробку и вытащила ее, при этом чуть не свалившись с табуретки, а в последний момент едва не наступив на кота, который, конечно, не мог остаться в стороне и вертелся под ногами, боясь, что пропустит что-то интересное.

Кот возмущенно зашипел и отскочил в сторону.

— Не ври, я на тебя вовсе не наступила! — прикрикнула на него Надежда.

Кот на это выразительно мяукнул, что в переводе с кошачьего означвло: «Ты не представляешь, что было бы, если бы наступила! Стоял бы такой вопль, что у тебя уши заложило бы!»

Надежда отмахнулась от него и заглянула в коробку. Как она и думала, там лежали поцарапанный детский волчок, облысевший плюшевый медведь, наполовину съеденный молью, стопка покрытых пылью тетрадей за первый и второй классы, несколько позеленевших оловянных солдатиков... Надежда покачала головой и подумала, что стоило бы все это выкинуть на помойку, но муж этого просто не переживет.

Она отодвинула тетради, подняв целое облако пыли, и увидела под ними то, что искала, — проектор для диафильмов. Оказалось, что он еще и работает, и Надежда приступила к осуществлению своего замысла. Она протерла объектив, вложила в проектор пленку и погасила в комнате свет.

На стене появилось изображение — какие-то бессмысленные, неразборчивые записи. Внимательно приглядевшись, Надежда поняла, что все слова отображаются вверх ногами, и перевернула пленку в проекторе.

Теперь она смогла прочесть довольно длинную записку, которая, однако, показалась ей бессмысленной. Короткие строчки выстроились узким столбиком.

дарь Илья Николаевичъ!
шей старинной дружбѣ
азать мнѣ огромную услугу.
мъ мѣстѣ, гдѣ мы проводили
сныхъ часовъ въ задушевной бе-

вяннаго Ибрагима и трижды
вой стрѣлкѣ, прежде подразнивъ.
ня чрезвычайно важный, имѣю-
къ «Голубымъ Звѣздамъ» и кое-чему

Искренне Вашъ, Феликсъ Ю., С.-Э.

— Что за бред? — проговорила Надежда, трижды пробежав глазами надпись на стене.

Кот, который, оказывается, находился тут же, у самых ног хозяйки, громко фыркнул. Видимо, он тоже не видел никакого смысла в этой странной записке.

Надежда, однако, не отступила и попыталась понять, что означают обрывки фраз.

Во-первых, она исходила из того, что эта записка вовсе не бессмысленная и для кого-то очень важна, иначе ее не стали бы переносить на специальную пленку и прятать в тюбике с двойными стенками.

Во-вторых, учитывая, что первые слова слева были оборваны, она сделала вывод, что перед ней не целая записка, а правая ее часть. Возможно, записка была разрезана или сложена пополам.

А еще Надежду очень заинтересовала подпись: «Искренне Вашъ Феликсъ Ю., С.-Э.». Отчего-то она показалась ей удивительно знакомой. Понятно, что Феликс — это имя автора записки, но почему за этим именем идет столько букв? Если Ю — первая буква фамилии, то что означают С и Э? Бывают, конечно, двойные фамилии, вроде Миклухо-Маклая, Семенова-Тян-Шанского, Сергеева-Ценского или Новикова-Прибоя с Римским-Корсаковым, но тут целых три буквы... Это что же, у него, выходит, тройная фамилия?

Надежда прикрыла глаза, пытаясь сосредоточиться. Тройная фамилия... где-то она встречала что-то подобное... и вроде не так уж давно.

В это время рядом с ней раздался грохот.

Надежда подпрыгнула от неожиданности, открыла глаза и увидела рядом кота. Бейсик прижал уши, шерсть у него на загривке поднялась дыбом. Рядом на полу валялся толстый художественный альбом репродукций Валентина Серова, который он каким-то образом умудрился свалить с полки.

— Бейсик, ну ты даешь! — строго проговорила Надежда, поднимая альбом. — Ты же знаешь, что сбрасывать Сашины книги нельзя, он будет сердиться.

Кот посмотрел на нее насмешливо: уж на него-то хозяин никогда не сердится!

Надежда вздохнула: рыжий хулиган, как всегда, был прав.

Неожиданно альбом в руках Надежды случайно раскрылся на середине, и она изумленно застыла. На открывшейся странице находился портрет красивого юноши с французским бульдогом. Но поразило Надежду не лицо юноши и не надменная морда бульдога, а подпись под портретом: «Князь Феликс Юсупов, граф Сумароков-Эльстон».

Так вот почему инициалы под странной запиской показались Надежде Николаевне удивительно знакомыми! Она подсознательно вспомнила этот знаменитый портрет молодого аристократа...

— Ну, Бейсик, ты даешь! — повторила Надежда, но совсем с другим выражением. Теперь в ее словах звучало не раздражение поведением рыжего хулигана, а восхищение его прозорливостью и благодарность за то, что кот помог ей разгадать хотя бы часть таинственной записки.

Выходит, эти строки принадлежат знаменитому Феликсу Юсупову, мужу царской племянницы и убийце Григория Распутина...

— Какой умный у меня котик... — с нежностью проговорила Надежда.

«Любишь — докажи!» — тотчас мурлыкнул кот и устремился на кухню к миске.

Однако Надежда сделала вид, что не понимает прозрачных намеков, и снова перечитала записку. На этот раз она попыталась догадаться о содержании недостающей половины. Или, по крайней мере, дописать какие-то слова.

Первая строка начиналась со слога «дарь».

Ну, тут совсем нетрудно было догадаться, что это окончание слова «сударь» или «государь». Другие слова с таким окончанием трудно придумать. Надежда вспомнила романы позапрошлого века. Если в них приводились письма, они, как правило, начинались с вежливого обращения «милостивый государь».

Значит, можно предположить, что князь Юсупов, человек, несомненно, воспитанный, начал записку со слов: «Милостивый государь Илья Николаевич».

Интересно, кто это такой?

Вторая строка начиналась со слога «шей». «...шей старинной дружбе».

Существует, конечно, глагол «шить», у которого есть форма единственного числа повелительного наклонения «шей», но этот глагол здесь был совершенно неуместен. Так что «шей» — это, скорее всего, вторая половина слова «нашей».

Поскольку дальше следовала просьба, Надежда вполне логично предположила, что вторая строчка выглядела так: «...в память о нашей старинной дружбе».

В память об этой самой дружбе Юсупов просит некоего Илью Николаевича «азать»... ну, тут все просто, «оказать огромную услугу».

Надежда Николаевна аккуратным почерком вывела на чистом листе то, что сумела восстановить:

Милостивый государь Илья Николаевич!
В память о нашей старинной дружбе
прошу Вас оказать мне огромную услугу.

Начало было вполне понятное и разумное, но дальше все становилось несколько сложнее. Надежда внимательно перечитала следующие две строки:

м месте, где мы проводили
сных часов в задушевной бе-

Она сразу же догадалась, что на «бе» начиналось слово «беседа». Тогда эту часть загадочной фразы можно было расшифровать так: «... где мы проводили много (или немало) чудесных (прекрасных) часов в задушевной беседе».

Да, какие-то мелкие расхождения и неточности, возможно, были, но общий смысл становился вполне понятен.

Надежда аккуратным почерком дописала на своем листке восстановленную часть записки:

Милостивый государь Илья Николаевич!
В память о нашей старинной дружбе
прошу Вас оказать мне огромную услугу.
...м месте, где мы проводили
немало чудесных часов в задушевной беседе.

Надежда не знала, что было написано в начале четвертой строки.

По-видимому, речь шла о каком-то месте, где Феликс Юсупов и его неизвестный адресат проводили немало часов в задушевной беседе. Что это за место, понять было невозможно, одной буквы явно не хватало для расшифровки. Но Надежда подумала, что начало четвертой строки было не слишком важно для понимания записки — Феликс Юсупов явно намекал на какое-то место, хорошо известное Илье Николаевичу, но делал это так, чтобы посторонний человек не догадался, о чем идет речь.

Но вот дальше было совсем непонятно.

вянного Ибрагима и трижды
вой стрелке, прежде подразнив.
ня чрезвычайно важный, имею-
к «Голубым Звездам» и кое-чему

Что еще за Ибрагим?

Надежда вспомнила старый телевизионный сериал «Угрюм-река», снятый по одноименному роману Вячеслава Шишкова. Одного из персонажей, слугу главного героя и закоренелого злодея, звали Ибрагимом. Но этот Ибрагим не имел никакого отношения к предмету записки.

Мелькнула у нее еще какая-то ассоциация с этим именем, но тут же исчезла.

А что за слово стоит перед именем?

«…вянного».

Судя по окончанию, это прилагательное. Еще со школы Надежда помнила, что есть только три прилагательных с окончанием «янн» — оловянный, деревянный и стеклянный. Выходит, загадочный Ибрагим — вовсе не живой человек, а сделан либо из олова, либо из дерева, либо из стекла?

Впрочем, иногда человеку за какие-то особенные его качества дают соответствующее прозвище. Например, Дзержинского называли Железным Феликсом. Но то железо... А Стеклянный Ибрагим — это как-то странно.

Нет, Ибрагим — это все же неодушевленный предмет.

Надежда крутила все три прилагательных и так и этак, пытаясь представить, что за деревянный, оловянный или стеклянный может быть Ибрагим. Первое, что приходило в голову, это стойкий оловянный солдатик. Но имя Ибрагим для него совершенно не подходило. Что еще? Статуя?

Да нет, подобным образом можно гадать дни напролет и так ни до чего и не додуматься.

Для разнообразия Надежда сосредоточилась на окончании записки.

вой стрелке, прежде подразнив.
ня чрезвычайно важный, имею-
к «Голубым Звездам» и кое-чему

Из этих оборванных строчек Надежда не смогла извлечь ничего полезного. Что за стрелка? Что за «Голубые Звезды», к тому же написанные с прописных букв? И уж совсем непонятно было, что значила фраза «прежде подразнив». Кого нужно подразнить и зачем?

Надежда была вынуждена отступить. Да еще кот, устав ждать, здорово цапнул ее за ногу. Глядя на капельки крови, появившиеся на коже, Надежда разозлилась и огляделась в поисках газеты, подушки, полотенца или еще какого-нибудь оружия для наказания кота. Лучше всего подошел бы, конечно, веник, но за ним надо идти. Пришлось запустить в кота тапочкой. И конечно, она не попала.

Делать было нечего, полный тупик. Что означает вторая половина записки, Надежда не имела понятия, но не такой она была человек, чтобы сдаться без борьбы.

Для начала она решила почитать в Интернете о Феликсе Юсупове.

Надежда примерно представляла, что он был очень богатым и знатным человеком. Сразу после революции эмигрировал из страны и долго жил в Европе, кажется во Франции. В Санкт-Петербурге сохранился его дворец, который так и называется — Юсуповский, где сейчас располагается музей. Когда-то давно Надежда Николаевна была там на экскурсии, и ей очень понравилось.

Не успела Надежда уютно расположиться перед компьютером с чашкой крепкого кофе, как позвонила мать и сообщила, что у нее сломался утюг. А ей срочно нужно погладить платье, в котором она собиралась сегодня пойти в театр.

Мать у Надежды была хоть и пожилая, но бодрая духом и относительно крепкая телом, и поэтому имела множество увлечений. Она считала, что пожилой возраст имеет свои преимущества, а именно: заботиться можно только о себе и проводить свободное время, которого гораздо больше, как заблагорассудится, ни перед кем не отчитываясь. Посему мать ходила в театры, на концерты и на разные познавательные лекции, а также посещала всевозможные выставки в удобное утреннее время, когда народу поменьше. Еще она занималась на оздоровительных курсах и ездила весной на экскурсии, которые проходили под девизом: «Люби и знай свой край».

Сегодня подруга пригласила мать на театральную премьеру. Места были очень хорошие, во втором ряду, так что требовалось надеть непременно парадное платье. И вот такая незадача — утюг вдруг зашипел, плюнул водой и испустил дух. Хорошо хоть, ржавая вода не попала на ткань.

Мать сунулась было к соседке, но та уехала за город к родственникам на три дня. Не бегать же по всему подъезду с просьбой об утюге?..

Надежда вздохнула и выключила компьютер, после чего быстро собралась (мать ждать не любит) и поехала в хозяйственный магазин.

Пока выбирала, пока зашла к матери... Домой Надежда вернулась только вечером, и Феликс Юсупов совершенно вылетел у нее из головы. Да еще кот сбросил со стола опрометчиво брошенный ею фрагмент микропленки и гонял его лапой по полу. Тоже нашел себе игрушку! Но злиться в данный момент можно было лишь на свою забывчивость, поэтому Надежда спрятала пленку подальше, а кота только обругала словесно.

Феликсу снова снился страшный, отвратительный сон: как он раз за разом стреляет в Старца, в его страшное, отвратительное лицо, обрамленное косматой бородой, и широкую грудь. Выстрелы грохочут, пули разрывают плоть антихриста, проделывают в ней черные, глубокие, кровоточащие дыры, но Распутин только хохочет, широко разевая свою зловонную звериную пасть, и тычет в Феликса корявым пальцем с нечистыми ногтями. Хохочет и повторяет:

— Ты! Ты! Ты убивец! Мама велит тебя наказать!

Даже во сне Феликс вспомнил, что Папой и Мамой Григорий Распутин называл государя и государыню, и ему стало особенно противно, что этот мерзавец смеет марать имена помазанников своим грязным языком.

Патроны в верном «веблее» закончились, Феликс попытался сменить обойму — и тут проснулся.

Старый преданный слуга Григорий деликатно, но упорно тряс его за плечо:

— Князенька, ваше сиятельство, проснитесь!

— Что, что такое? — недовольно пробормотал Феликс, приподнимаясь на локте.

Разглядев Григория, он удивился: старик, всегда аккуратный донельзя, был растрепан, камзол застегнут не на те пуговицы, глаза красны и слезятся.

— Княгиня, маменька ваша, зовут!

— Да который же час?

— Четвертый…

— О господи!

Феликс спустил ноги с кровати, нашарил мягкие сафьяновые туфли. Григорий накинул ему на плечи халат и пошел к двери. Феликс, сбросив последние остатки сна, поспешил за слугой.

Если маман зовет в такой час — дело серьезное.

Княгиня болела уже второй месяц, болела тяжело, боялись худшего, и сердце Феликса противно защемило.

Григорий шел перед ним, высоко держа зажженный серебряный канделябр. В особняке на Мойке давно уже провели электричество, но Григорий упорно держался старых порядков и, по крайней мере ночью, пользовался свечами — говорил, что так и ему сподручнее, и господам меньше беспокойства.

Они с Григорием спустились на второй этаж, где располагались матушкины апартаменты, вошли в ее спальню.

Там никого не было — ни слуг, ни домашнего доктора, ни отца. Матушка лежала на высоко взбитых подушках, на щеках горел болезненный румянец, прекрасные темные глаза были полны страдания, и еще — непривычного, незнакомого страха.

Феликс почувствовал мучительную жалость.

За время болезни Зинаида Николаевна сильно исхудала и постарела, в ней было не узнать ту властную и яркую красавицу, которую изобразил Серов на своем знаменитом портрете. Щеки ввалились, чудесные волосы поблекли и поредели. Однако в глазах княгини чувствовались прежняя сила и несгибаемая воля.

— Маменька, что с вами? — озабоченно проговорил Феликс, присев на край кровати.

— Феличе, мальчик мой, как хорошо, что ты пришел! — она схватила его руку, прижала к губам. — Мне снился нехороший сон... мне снилось, будто я где-то далеко, чуть не в Сибири... я иду по холмам, и вдруг — провал в земле, словно шахта, и оттуда, из-под земли, доносятся чьи-то голоса... кто-то зовет на помощь...

— Маменька, это просто дурной сон! Успокойтесь... может быть, принести вам теплого молока? Григорий разогреет!

— Нет, спасибо, милый. Я знаю, что это всего лишь сон, и позвала тебя не для этого. Я должна тебе кое-что сказать... кое-что передать... это очень важно...

— Что, маменька?

Княгиня облизала пересохшие губы, быстро взглянула за спину сына. Там, возле двери, стоял Григорий, неподвижный, как статуя, с зажженным канделябром в руках.

— Велеть ему выйти?

— Нет, не нужно. Он очень предан нам. Ты же знаешь — он служил еще твоему деду...

Княгиня приподнялась, засунула руку под подушку, вынула оттуда небольшой длинный черепаховый футляр, инкрустированный мелкими бриллиантами, осторожно подняла его крышку. В футляре лежал изящный веер из узких сложенных пластинок глянцевой японской бумаги, покрытых тонким узором.

— Что это, маменька? — удивленно проговорил Феликс. — Веер? Всего лишь веер?

— Да, веер, — княгиня закрыла глаза. — Но это не простой веер. Сохрани его, Феличе! Это важно, очень важно! Ты знаешь, какие сейчас наступают страшные времена...

— Да, я сделаю, как ты велишь. Но скажи, почему ты придаешь этому вееру такое значение?

Княгиня потянулась к уху сына и что-то ему зашептала. Брови Феликса удивленно поднялись. Он недоверчиво взглянул на мать... она всегда была удивительно здравомыслящей женщиной, не склонной к суевериям, такие истории не в ее стиле. Но если она что-то говорит — значит, так и есть.

— Поспеши, Феличе! — проговорила Зинаида Николаевна, снова откинувшись на подушки. — Сделай то, о чем я прошу. А я попробую еще поспать...

Феликс тихонько вышел из материнской спальни и повернулся к Григорию:

— Отправляйся спать, я один дойду до своей комнаты.

— Как же, князенька? Разве это можно? Я вас провожу, как положено, и лечь помогу!

— Можно, Григорий, можно! Теперь все можно, теперь свобода объявлена. С самого февраля уже свобода...

— Это кому-то, может, и объявлена, а нам свобода ни к чему. Мы завсегда при господах были, так и доживем...

— Отправляйся, Григорий, отправляйся! Я так хочу. И не спорь со мной, пожалуйста.

— Ну, коли велите... только канделябр возьмите непременно, а то как же в темноте!

— А ты?

— А я дорогу и в темноте знаю. Пятьдесят годов уже по этому дому хожу.

Феликс взял у слуги канделябр и пошел к себе, на третий этаж.

По пути он размышлял о словах матери. Не являлись ли эти слова проявлением болезни? Слишком уж невероятным было то, что она сказала ему на ухо. Впрочем, он верил, что ум и воля Зинаиды Николаевны справятся с любой болезнью. И раз она велела спрятать этот веер в надежном месте — значит, так и нужно сделать. Но вот какое место можно считать достаточно надежным в такое непростое время?

Конечно, в их особняке имеется комната-сейф, оборудованная дедом. Как только в городе и стране стало неспокойно, отец перенес туда все самое ценное — картины Рембрандта и Веласкеса и бесподобные материнские драгоценности. Но про эту комнату знают чересчур многие.

Стало быть, нужно придумать какое-то более надежное место...

Утром Надежду разбудил телефонный звонок. Спросонья она обрадовалась, думая, что это муж наконец сообщит ей, что взял билет и прилетит в ближайшее время, возможно даже завтра. Но нет, в трубке прозвучал совсем другой голос.

— Надя, доброе утро. Ты меня не узнала?

Это оказался Дима Шапиро, а звонил он так рано потому, что с московского поезда. Дима поинтересовался делами Галины, и Надежда начала было рассказывать, но он перебил:

— Знаешь такого режиссера — Золотаевского?

— Конечно. То есть лично не знаю, но много про него слышала. Пресса прямо кипит уже больше года. А что?

— Да я с ним из Москвы в одном купе ехал, очень интересный человек и собеседник хороший. У него презентация нового фильма в Доме актера на Невском, он меня пригласил. Фильм как-то странно называется... «Ивановы...»

— «Сидоровы в нервах»? — ахнула Надежда. — Надо же, уже фильм готов. Он очень много работает, я читала.

— В общем, приглашение на два лица. Надя, пойдем со мной, а? Там и поговорим.

Надежда заколебалась. Будучи прочно и давно замужем, она редко куда ходила без мужа. Ну, если с подругой Алкой... Но тут она вспомнила, сколько денег перечислил Дима на адвоката, и вообще... Шапиро в Петербурге находился совсем один, скучал. Опять же, поговорить нужно было.

— Ладно, пойдем! — согласилась она, сдержав вздох. — Там как — пафосно?

— Ну, написано, что потом фуршет...

Условились встретиться у входа.

Стоя перед шкафом, Надежда задумалась. Наверняка на презентации фильма Золотаевского будет очень много народу, и все крутые. Новое платье, купленное в дорогом магазине, она надевала лишь раз — в ресторан (будь он совсем неладен), и конечно, Димка Шапиро этого не вспомнит. Мужчины и про собственных жен не скажут, какие у них платья и сколько их. Но, подумав еще немного, Надежда отложила новое платье и надела скромное, темно-синее, повязав, правда, яркий шарфик, как говорят, для оживляжа.

— Бейсик, я недолго, только кино посмотрю и вернусь, — сказала она коту. — Не скучай тут.

«Какое еще кино тебе...» — кот явственно пожал плечами.

Надежда поискала глазами, куда спрятать листочек с расшифровкой записки Юсупова, и положила его в свою сумку — так надежнее.

От дома Надежды до Дома актера на Невском проспекте шла прямая маршрутка. Устроившись на заднем сиденье, она задумалась. Из головы не шла таинственная записка. Надежда так и этак мысленно дополняла ее неразгаданную часть, но не могла придумать ничего подходящего. Казалось бы, самым умным было забыть про этот фрагмент микропленки — Галку выпустили, а остальное дело адвоката, — но Надежде было очень интересно, кто же все-таки убил блондинку и успокоил Виктора ударом по голове. Кстати, нужно ему позвонить, узнать, как там у него дела.

Кроме того, Надежда Николаевна Лебедева обожала всяческие загадки, а это ли не предмет для разгадывания? Таинственная записка, да еще не целая, а половина, в которой речь идет о какой-то ценной вещи... Нет, она просто обязана прояснить этот вопрос!

Перед Надеждой сидел чернокожий молодой человек в наушниках и раскачивался в такт неслышной остальным пассажирам музыке.

Через несколько минут в маршрутку села семья — полноватая озабоченная женщина, мрачный мужчина и их отпрыск лет пяти.

Ребенок уставился на чернокожего и на всю маршрутку спросил:

— Мама, а чего это негр танцует?

— Это он музыку слушает, — машинально ответила женщина, думавшая явно о своем. — И вообще, нельзя называть их неграми, это невежливо, они на это обижаются...

— Не дури ребенку голову! — тут же вмешался ее мрачный муж. — Не запутывай его! Как же еще их называть, если не неграми?

— В Америке их называют афроамериканцами. А негр — это у них ругательное слово, я читала.

— Так то в Америке! А нам как называть? Арапами, что ли?

«Арап Петра Великого...» — машинально произнесла про себя Надежда Николаевна. Как известно, Пушкин — это наше все. И вдруг она вспомнила, что этого самого арапа, то есть абиссинского мальчика, воспитанника императора, звали Ибрагимом.

Так вот кто упомянут в записке Феликса Юсупова!

Деревянный Ибрагим... Скорее всего, это деревянная статуя арапчонка, подобные часто встречались в богатых домах.

Маршрутка остановилась на углу Литейного и Невского проспектов. Надежда вышла и направилась к красивому желтому зданию Дома актера.

— Рано вы, дама, пришли, — сказал пожилой охранник, услышав, что она на презентацию фильма Золотаевского. — До начала еще час.

— Я думала, в семь часов начало, — растерялась Надежда.

— Нет, в половину восьмого, да еще... — охранник доверительно понизил голос, — этот обещал быть... из Комитета по культуре, а он всегда опаздывает минут на сорок.

— Так-таки и всегда? — прищурилась Надежда.

— Вот точно! Сколько тут работаю — всегда его ждут! Так что полтора часа у вас есть, и идите-ка вы на экскурсию, помещение посмотрите и много нового узнаете. А чего время-то зря терять?..

Надежда послушалась словоохотливого охранника и огляделась.

В холле собралось уже довольно много людей, в основном женщин средних лет, перед которыми вещал представительный седовласый господин с идеальной осанкой и красивым, хорошо поставленным голосом. Его лицо показалось Надежде знакомым, и она быстро сообразила, что видела его в каком-то старом фильме. Наверняка это престарелый артист, который по возрасту ушел из профессии и теперь пристроился водить экскурсии в Доме актера.

— Ну вот, раз все собрались, наша экскурсия начинается, и я хочу немного рассказать вам о Доме актера. Вы видите, что это — настоящий дворец. Сейчас в этом дворце проходят всевозможные мероприятия, концерты, кинопоказы, работают творческие коллективы, любительские театральные студии...

— А что здесь было до революции? — спросила унылая дама с бесцветными волосами, завязанными в жидкий узел. Она была явно из тех, кто всегда задает вопросы на лекциях и экскурсиях и пытается подловить лектора на ошибке.

— До революции этот дом принадлежал чрезвычайно богатой и влиятельной семье князей Юсуповых, — ответил престарелый артист.

— Как? — недоверчиво переспросила любознательная дама. — Дворец Юсуповых я хорошо знаю, он находится на набережной Мойки! Я была там на экскурсии в прошлом году!

— С чем я вас и поздравляю! — фыркнул экскурсовод. — Я же вам сказал: Юсуповы были очень богатой семьей, и им принадлежал не один дворец на Мойке. Вообще-то только в нашем городе у них было пять дворцов, в том числе этот, где мы с вами сейчас находимся. Я уж не говорю об их многочисленных имениях, разбросанных по разным губерниям Российской империи, а также о бесценных коллекциях произведений искусства и ювелирных украшений.

В этом месте экскурсовод сделал выразительную паузу, а Надежда навострила уши. Надо же, какое совпадение: она попала в бывший дворец князей Юсуповых! На ловца, как говорится, и зверь бежит.

— Основу ювелирной коллекции, — продолжал экскурсовод хорошо поставленным голосом, — заложила княгиня Татьяна Васильевна Юсупова, урожденная Энгельгардт, одна из племянниц знаменитого князя Потемкина...

— А после революции князья Юсуповы вывезли свои сокровища за границу? — все не унималась любознательная дама.

— Нет, Юсуповы почти ничего не сумели вывезти. Им удалось переправить за границу только две картины Рембрандта и одну чрезвычайно ценную жемчужину, которая даже имела собственное имя — «Перегрина». Эта жемчужина некогда принадлежала испанскому королю Филиппу II и запечатлена на портрете его жены Марии Тюдор. По легенде, первой владелицей Перегрины была сама царица Клеопатра. Причем жемчужин было две, и вторую

Клеопатра, поспорив на пиру с римским полководцем Марком Антонием, растворила в уксусе и выпила. Так что бо́льшая часть ценностей Юсуповых осталась в Петрограде, в их дворцах.

— Большая часть? То есть не всё?

— Конечно, не всё. Много юсуповских драгоценностей бесследно пропало, в том числе знаменитые парные бриллианты «Голубые Звезды»...

Услышав последние слова, Надежда Николаевна вздрогнула и превратилась в одно большое ухо.

«Голубые Звезды»... Неужели это они упоминались в записке? Тогда немудрено, что Юсупов говорил о большой услуге... Возможно, он просил неизвестного Илью Николаевича достать бриллианты из укромного места... а потом что? Ясное дело, переправить их ему за границу. Всего и делов-то. Ох уж эти богатые люди! Юсупов небось и понятия не имел, что тогда творилось в России.

Экскурсовод тем временем заметил:

— Эти уникальные бриллианты считались одними из самых ценных камней в истории. Их прежний владелец, лорд Беллингем, выкупил их у раджи Каммапура, который владел этими камнями испокон веку, а дед последнего Юсупова купил камни у лорда за двести тысяч золотых рублей, что по теперешнему курсу эквивалентно приблизительно двумстам миллионам долларов...

Любопытная дама взглянула на него с затаенным недоверием, но спорить не стала, и экскурсовод продолжил:

— Сейчас мы находимся в главном фойе дворца. До революции здесь торжественно встречали гостей, прибывающих на балы и званые вечера.

— Кто — сами Юсуповы? — спросила неугомонная дама.

— Нет, что вы! — Старый актер снисходительно улыбнулся. — Конечно, нет. Гостей встречал дворецкий, а еще... деревянный Ибрагим.

Услышав последние слова, Надежда сделала стойку, как охотничья собака, почуявшая дичь. Она хотела уже задать очевидный вопрос, но любознательная дама опередила ее:

— Какой еще Ибрагим?

— Деревянный! — повторил экскурсовод, которому она уже порядком надоела, но тут же смягчился и пояснил: — Здесь, в фойе, напротив парадного входа во дворец, до революции стояла расписная деревянная статуя арапчонка в пышной мавританской одежде. Молодые Юсуповы и их друзья прозвали эту статую Ибрагимом в честь...

— В честь арапа Петра Великого! — выпалила занудная особа, которой не терпелось продемонстрировать свою эрудицию.

— Совершенно верно, — подтвердил бывший актер, — в честь знаменитого Ибрагима, воспитанника Петра Великого, впоследствии генерал-аншефа Абрама Петровича Ганнибала, предка нашего великого поэта Пушкина...

— А где сейчас эта статуя? — задала дама следующий вопрос, буквально сорвав его с языка Надежды.

— Сейчас деревянный Ибрагим находится в библиотеке нашего Дома, и скоро вы его увидите.

Надежда тихо порадовалась. Ну надо же, как повезло-то! А она еще не хотела идти в Дом актера...

Экскурсовод провел их по нескольким залам, рассказал, что находилось в них до революции и в течение следующих ста лет, какие известные люди бывали здесь, и наконец посмотрел на часы — время экскурсии подходило к концу.

— А как же библиотека? — строго осведомилась все та же неугомонная дама. — Вы обещали показать нам библиотеку!

— Действительно... Что ж, у нас осталось еще несколько минут...

Стоявшая рядом Надежда увидела, как губы старого артиста зашевелились, бормоча крепкие слова. Видно, настырная дама здорово ему надоела.

Экскурсовод провел их по короткому коридору и открыл очередную дверь. За ней оказалась большая комната, сплошь уставленная книжными шкафами темного дерева, заставленными старинными томами с позолоченными корешками. В промежутках между шкафами висели старинные гравюры и акварели. На высоте двух с половиной метров комнату опоясывала галерея, к которой вела узкая деревянная лестница. Вдоль галереи также стояли книжные шкафы.

Еще в комнате имелся мраморный камин, возле которого стояли два кресла с высокими спинками, обитые тисненой кожей, и ширма, расписанная японскими пейзажами. Наконец, в углу библиотеки застыла резная деревянная скульптура — арапчонок в туфлях с загнутыми носами, широких шальварах, расшитой золотом курточке и яркой чалме.

Надежда взволнованно принялась ее разглядывать. Не иначе как именно о ней шла речь в таинственной записке Феликса Юсупова.

— Вот это и есть тот самый деревянный Ибрагим, — сообщил бывший актер своим бархатным голосом. — А теперь наша экскурсия действительно закончена.

Все участники экскурсии, негромко переговариваясь, направились к выходу из библиотеки.

Надежда подумала, что другой удобной возможности разобраться с деревянным Ибрагимом ей может не представиться. Она скользнула за каминную ширму, пригнулась и затаилась.

Экскурсовод дождался, пока все выйдут из библиотеки, оглядел комнату и вышел из нее последним, закрыв за собой дверь. Надежду он не заметил. Уж что-что, а прятаться она умела отлично.

Услышав звяканье ключа в замке, Надежда слегка запаниковала. Как она теперь выберется отсюда? Впрочем, успокоила она себя, проблемы нужно решать по мере их поступления. А сейчас самое время заняться деревянным Ибрагимом.

Надежда выскользнула из-за ширмы, подошла к деревянному арапчонку и оглядела его со всех сторон.

С виду казалось, что статуя вырезана из цельного куска дерева. Где в ней может быть тайник?

Надежда вспомнила ту часть записки Юсупова, которую так и не смогла до конца расшифровать.

вянного Ибрагима и трижды
вой стрелке, прежде подразнив.

Наверняка слог «вой», учитывая продолжение, — это концовка слова «часовой». Значит, можно вписать еще одну недостающую часть: «часовой стрелке». Но что нужно трижды повернуть по часовой стрелке? Надежда взялась за голову статуи и покосилась на дверь. Что будет, если ее, приличную немолодую женщину, застанут за попыткой открутить голову старинной статуе? Вещь небось ценная и состоит в Доме актера на балансе...

Позора не оберешься!

Но раз уж начала дело, нужно довести его до конца. Надежда попыталась повернуть голову деревянного Ибрагима по часовой стрелке, но голова не поддавалась. А может, против? Надежда попробовала и так, но результат был тот же. Она перевела дыхание и укоризненно взглянула на Ибрагима.

Деревянный арапчонок явно не хотел расставаться со своей тайной. Да и немудрено — он хранил ее уже так долго, с чего бы сейчас в одночасье раскрыть ее?

Надежда снова задумалась. Были в записке и совершенно бессмысленные, на ее взгляд, слова: «прежде подразнив». Кого нужно подразнить и зачем? Не этого же деревянного Ибрагима? Но больше в комнате никого не было.

А как можно подразнить деревянную статую? Слов она не понимает... И тут Надежда вспомнила, что в детстве соседский мальчишка дразнил ее, приставив большой палец к носу, а остальные растопырив. Это называлось «показать нос». От безысходности она нажала пальцем на деревянный нос Ибрагима. И ей показалось, что нос слегка поддался...

Тогда Надежда схватила Ибрагима за уши и снова попробовала повернуть его голову. О чудо! На этот раз голова тяжело, со скрипом, но все же поддалась ее усилиям! Надежда повернула голову еще раз и еще...

И тут случилось вовсе неожиданное.

Деревянный Ибрагим немного приоткрыл рот и высунул красный деревянный язык. То есть он подразнил ее в ответ.

— Очень смешно, — обиженно проговорила Надежда. — И это все? В этом и заключается твоя тайна?

Не может быть! Ради этого детского фокуса Феликс Юсупов не просил бы неизвестного Илью Николаевича об услуге в память об их старинной дружбе.

Надежда пригляделась ко рту Ибрагима. Деревянный язык занимал не весь рот арапчонка, под ним оставалась небольшая щель, в которой виднелось маленькое металлическое кольцо.

Надежда попыталась ухватить его пальцами, но щель была слишком узкой, пальцы в нее не пролезали. Тогда Надежда провела инспекцию своей сумочки на предмет какого-нибудь подходящего инструмента и обнаружила там сначала зажигалку (как она там оказалась?), а затем вязальный крючок. Вязанием она не увлекалась и, как крючок попал в сумку, не понимала, но в данный момент это было то, что нужно.

Надежда осторожно подцепила кольцо крючком и потянула на себя... Через секунду у нее в руках оказался узкий продолговатый предмет то ли из тонкого картона, то ли из плотной глянцевой бумаги, к концу которого и было приделано то самое кольцо.

Надежда Николаевна повертела находку в руках — и внезапно та развернулась, оказавшись изящным бумажным веером, покрытым какими-то значками.

Надежда удивленно разглядывала веер. Ничего особенного. Всего лишь изящная бумажная безделица, не из золота или платины, даже не из слоновой кости или китового уса... но эта безделица, судя по всему, пробыла в тайнике не меньше ста лет, чудом пережив две революции и две войны.

— Интере-есно... — протянула Надежда.

Почему легендарный Феликс Юсупов, некогда владевший одним из самых больших состояний в России и в мире, бесценными драгоценностями и художественными сокровищами, пополнившими коллекции лучших музеев мира, так беспокоился о скромном бумажном веере, спрятанном во рту раскрашенной деревянной скульптуры? Почему он столь настоятельно просил некоего Илью Николаевича достать этот веер? Вообще, что в этом веере такого особенного? И какое отношение ко всему этому имеют «Голубые Звезды», упомянутые в записке?

Что ж, вопрос действительно интересный и непростой. Но решать его нужно было в более подходящее время и в более подходящих условиях, а сейчас было бы неплохо выбраться из этой библиотеки. Ясно, что ничего больше от деревянного Ибрагима она не получит. Ну что ж, и на том спасибо!

Для начала Надежда сложила веер и спрятала его в сумку. Затем трижды повернула голову Ибрагима в обратную сторону, чтобы привести статую в исходное положение. Способ сработал — деревянный арапчонок спрятал язык и закрыл рот, так что выглядел теперь вполне пристойно.

Устранив следы своего самоуправства, Надежда подошла к двери и подергала ручку. Как и следовало ожидать, дверь не открылась — экскурсовод, уходя, запер ее на ключ.

Надежда задумалась. Конечно, можно стучать в дверь и звать на помощь, пока ей кто-нибудь не откроет. Но тогда придется объяснять, как она оказалась в запертой библиотеке, почему не ушла отсюда вместе с экскурсоводом и что так долго делала в одиночестве.

Нет, лучше обойтись без посторонней помощи!

Надежда снова проинспектировала свою удивительную сумочку — на этот раз чтобы найти в ней что-то наподобие отмычки. Уже использованный вязальный крючок для этой цели совершенно не годился — он был слишком толстым и просто не пролезал в замочную скважину.

Дважды внимательно перебрав содержимое сумочки, она наконец нашла обычную канцелярскую скрепку. Надежде не раз приходилось видеть, как персонажи детективных фильмов точно такими скрепками открывают самые различные замки, вплоть до сейфовых. Может быть, и у нее получится этот фокус?

Она разогнула скрепку, оставив на конце закорючку в форме буквы «Г», вставила эту закорючку в замочную скважину и принялась ее медленно поворачивать. Кажется, именно так делали вышеупомянутые киногерои.

Однако усилия Надежды не увенчались успехом. Может быть, те фильмы не отражали правду жизни и открыть замок скрепкой невозможно? Однако Надежда не сдавалась и продолжала ковыряться в замке.

В это время за дверью послышались чьи-то шаги, а затем раздался недовольный женский голос:

— Опять Лимонадов не выключил свет! Сколько можно ему говорить... такие счета приходят...

Надежда хотела уже крикнуть, чтобы ее выпустили, но тут раздался второй голос, тоже женский, с плохо скрытым раздражением:

— Сама с ним разбирайся, а мне уже пора идти!

Отчего-то Надежда раздумала звать на помощь и застыла перед дверью, прислушиваясь, но в коридоре стояла тишина. Затем раздался щелчок, и библиотека погрузилась в темноту.

В первый момент Надежда растерялась, но быстро взяла себя в руки. Главное — не впадать в панику, сохранять спокойствие и трезвую голову. Она постаралась восстановить в памяти планировку библиотеки и вспомнила, что видела на круглом столе канделябр на три свечи. Правда, пользы от этих свечей немного, ведь зажечь их нечем...

Или есть чем?

Надежда вспомнила, что несколько минут назад видела в сумке зажигалку. Достав ее, она несколько раз щелкнула колесиком и наконец сумела извлечь маленький бледный язычок пламени. Этого хватило, чтобы дойти до стола, по дороге ничего не сломав, и зажечь свечи в канделябре.

Теперь в библиотеке было почти светло. Более того — при колеблющемся свете свечей помещение заиграло новыми красками, стало куда более уютным и романтичным. Ну да, ведь эта библиотека, как и весь дворец, создавалась в те времена, когда электрическое освещение еще не было изобретено, в расчете на живой свет. Казалось, сейчас в камине затрещат поленья, а из глубокого кресла навстречу Надежде поднимется один из князей Юсуповых...

Надежда сбросила это наваждение и, взяв канделябр, направилась к двери, чтобы продолжить попытки открыть замок.

Проходя мимо одного из книжных стеллажей, она заметила, что пламя всех трех свечей отклонилось в одну сторону, как будто свечи хотели ей что-то показать. Надежда остановилась, сделала шаг вперед, шаг назад... Пламя определенно отклонялось к стеллажу.

Что это может значить? Что в этом месте существует постоянный поток воздуха, проще говоря — сквозняк. А дворцы князей Юсуповых, как и другие старинные особняки, известны тем, что в них имелись потайные ходы, секретные комнаты и другие подобные хитрости. Потайной ход вполне мог быть источником сквозняка.

Медленно перемещая канделябр вправо и влево, Надежда нашла то место, куда тянул сквозняк. Это был самый край стеллажа. Надежда потянула его на себя, и стеллаж повернулся на невидимой оси. За ним обнаружился темный проход. Пахнуло сыростью и плесенью.

Но не сидеть же здесь до утра!

Подняв канделябр над головой, Надежда решительно шагнула вперед, и в следующую секунду стеллаж у нее за спиной с негромким звуком встал на прежнее место.

Надежда оказалась в узком, темном коридоре. В носу тут же зачесалось от пыли, и она, с трудом сдержавшись, чтобы не чихнуть, двинулась вперед, освещая себе путь канделябром.

Очень скоро коридор закончился, и перед Надеждой оказалась узенькая деревянная лестница. Надежда поднялась по ней и оказалась на небольшой круглой площадке, где располагалась неказистая деревянная дверь, отделяющая ее от свободы.

Надежда уже хотела толкнуть ее, как вдруг по другую сторону услышала негромкий, но явно недовольный женский голос:

— Зачем ты меня звал? Ты же знаешь, что это рискованно! Что, если нас кто-нибудь увидит вместе?

Голос показался ей знакомым, и Надежда почувствовала знакомое покалывание в корнях волос...

Она застыла на месте, боясь пропустить хоть слово.

А разговор за дверью продолжался.

Женскому голосу ответил мужской, тоже недовольный:

— Не забывайся, дорогая! Я тебе плачу, а кто платит, тот и заказывает музыку!

— Музыку? — женщина издала короткий недобрый смешок. — Смотря какую музыку! Как бы это не оказался похоронный марш!

— Типун тебе на язык! — перебил мужчина, но в его голосе явственно прозвучали неуверенность и даже страх. — Ты меня что, пытаешься напугать? Тебе это почти удалось!

— Короче, зачем ты меня звал?

— Ты не закончила дело, — прошипел мужчина, — ты не выполнила задачу, которую я перед тобой поставил.

— Я работаю над этим! У меня все под контролем!

— Точно? Не заставляй меня думать, что я сделал большую ошибку, связавшись с тобой.

Голоса за дверью затихли.

Надежда еще какое-то время простояла в тишине, переваривая услышанное. Наконец, уверившись, что с обратной стороны никого нет, она осторожно толкнула дверь и выскользнула в полутемный коридор. Чуть в стороне из-за неплотно прикрытой двери пробивался яркий свет и раздавались громкие голоса.

Надежда осознала, что по-прежнему стоит с горящим канделябром в руках. Оглядевшись по сторонам, она заметила золоченый столик и поставила канделябр на него, предварительно задув свечи. Затем толкнула дверь и вошла в переполненный зал.

Фильм только что закончился, и Надежда Николаевна, посмотрев на часы, тихонько ахнула. Оказалось, она проторчала в библиотеке без малого два часа. Ну надо же, как время летит...

Зрители вставали со своих мест, возбужденно переговариваясь. Очевидно, фильм был принят неоднозначно, и теперь все жаждали обменяться мнениями.

Внезапно взгляд Надежды упал на зеркало, и увиденное там ее не обрадовало. Волосы всклокочены, помада размазана, на щеке пыль. Ну еще бы, в этом потайном коридоре, наверное, с самой революции не убирали! Проходящая мимо женщина в коротком светлом платье едва ли не шарахнулась от нее, да еще подозрительно втянула носом воздух. Господи, неужели от нее пахнет плесенью?

Надежда стремительно метнулась из зала и пролетела холл в поисках туалета. Приведя себя в порядок, она отправилась на поиски Шапиро.

Димка встречал ее в дверях зала.

— Извини! — заторопилась Надежда. — Прости, пожалуйста, никак не смогла раньше выбраться.

— Ну, ничего, самое главное впереди! — он рассмеялся, кивнув на столы в углу, где клубился народ.

Они отошли в сторонку, и Надежда вкратце изложила все, что произошло за время его отсутствия: как она навещала Виктора в больнице, как отыскала в ресторане следы неизвестной блондинки и вычислила, кто она такая, как побывала возле ее дома и узнала об ограблении, как передала все сведения адвокату, а тот уже убедил следователя, что Галину можно отпустить.

Разумеется, про тюбик помады с микропленкой не было сказано ни слова. Не то чтобы Надежда Диме не доверяла, просто незачем было грузить постороннего человека.

Пока они разговаривали, люди расхватали все вино и еду.

— Спокойно! — Дима огляделся по сторонам, что-то прикинул про себя и уверенно направился в дальний угол зала.

— Куда ты?

— Спокойно, Надя, будь наготове!

Через пару минут открылась неприметная дверь, из которой вышла девушка с подносом, уставленном бокалами с шампанским, за ней шел парень с бутербродами.

— Вперед! — Димка подмигнул Надежде и ловко снял с подноса два бокала, а она, не растерявшись, набрала закуски.

— Как это ты ловко... — с набитым ртом сказала Надежда.

— А, все на свете приемы одинаковы! — отмахнулся Шапиро. — Ну, со встречей... Завтра я улетаю, но уверен, что Галка в надежных руках. Только будь осторожна...

Надежда что-то хотела ответить Диме, но тут совсем рядом раздался громкий женский голос:

— Я считаю, что это ее лучшая роль! Нет, конечно, она очень хорошо сыграла у Василия Васильевича в «Позднем раскаянии», но здесь была просто бесподобна!

Надежда застыла.

Это был тот самый голос, который она слышала из потайного коридора и который показался ей знакомым.

Она медленно повернулась.

В нескольких шагах от них с Димой стоял импозантный седовласый мужчина лет пятидесяти в странном пиджаке — сшитом из мешковины и украшенном яркими аппликациями: бабочками, стрекозами и райскими птицами. При этом пиджак смотрелся на нем элегантно. Надежда узнала мужчину — это был скандально известный режиссер, имя которого не сходило с газетных страниц и экранов телевизоров.

Но Надежда смотрела не столько на него, сколько на женщину, с которой он разговаривал. Именно ее голос она сегодня уже слышала. И не только сегодня...

Женщина была элегантно, со вкусом одета: платье винного цвета, очень необычного покроя, и скромная нитка жемчуга, судя по всему, натурального.

Лицо женщины тоже показалось Надежде знакомым. Где-то она ее уже видела, причем не на экране и не на газетной полосе, а в жизни.

— Ну, не знаю... — протянул режиссер с сомнением. — Я бы не сказал, что она так уж хороша...

— Нет, она великолепна! Особенно в финале! — воскликнула женщина и непроизвольным кокетливым жестом поправила волосы цвета палой листвы.

Надежда вздрогнула. Она узнала этот жест и узнала эту женщину.

Эта была та самая свидетельница убийства в день роковой встречи однокурсников. Именно из-за нее арестовали Галку, потому что она прямо на нее указала.

Правда, тогда она была полноватой шатенкой в излишне коротком, безвкусном платье, на котором было больше цветов, чем в оранжерее ботанического сада, и сама выглядела пошлой и безвкусной. Сейчас же платье на ней было выше всяческих похвал, и волосы совсем другого цвета, женщина даже казалась гораздо стройнее... и тем не менее это была она. Те же самые жесты, та же осанка, те же движения и тот самый голос... Хотя в ресторане он казался резким и визгливым, но это было явно наигранно.

Надежда спряталась за Димкину спину и оттуда продолжала разглядывать таинственную особу. Ну, перекрасить волосы — это минутное дело... Хотя в прошлый раз волосы были, пожалуй, короче... Ну, все ясно, сейчас у нее парик. Сменить наряд вообще дело плевое. Но как она умудрилась похудеть? Времени-то прошло совсем немного...

Этот вопрос не давал Надежде покоя, потому что ей самой похудеть никак не удавалось, несмотря на то, что она отказывала себе во всем... ну, почти во всем.

Надежда возблагодарила Бога за то, что надоумил ее не надевать то же платье, в котором она была в ресторане. Прячась за Димкиной спиной, она сняла приметный шарфик и убрала его в сумку.

— Надя, от кого ты прячешься? — удивленно проговорил Димка. — Я хотел тебя познакомить с Вадимом Митюком, он очень известный режиссер...

Димка подошел к тому самому импозантному мужчине в пиджаке из мешковины.

— Я вас, конечно, знаю... — смущенно и даже немного испуганно пробормотала Надежда.

Режиссер плотоядно улыбнулся — он подумал, что Надежда смущена знакомством с таким выдающимся человеком. На самом деле она боялась, что ее узнает его таинственная собеседница. Но той уже и след простыл, словно сквозь землю провалилась.

— Познакомься, Вадим! — проговорил Дима светским тоном. — Это Надя Любимова... ой, извини, Лебедева, моя старинная приятельница. Мы с ней вместе учились...

— Старинными бывают шкафы, книги и замки! — фыркнула Надежда, улыбаясь режиссеру. — Вовсе не обязательно напоминать мне о моем возрасте. Скажите, пожалуйста, а кто та женщина, с которой вы сейчас разговаривали?

— Женщина? — режиссер удивленно завертел головой. — Какая женщина?

— В темно-красном платье... она только что здесь стояла, рядом с вами.

— Ах, эта! — режиссер пожал плечами. — Понятия не имею, первый раз ее видел. Подошла и заговорила... Я подумал, какая-нибудь театралка. Во всяком случае, она не из наших.

Режиссера кто-то окликнул, он извинился и отошел.

— Слушай, откуда ты его знаешь? — удивилась Надежда.

— А он недавно приезжал к нам, мы познакомились на приеме в культурном центре.

— Ты ходишь на приемы к киношникам?

— А что такого? В Израиле все всех знают, маленькая страна, — усмехнулся Дима. — К тому же у меня жена — кинопродюсер, вот я и хожу с ней иногда, интересные люди попадаются...

Надежда заметила, что он тайком взглянул на часы, и поняла, что нужно уходить. Жаль, она так и не выяснила, кто же такая та женщина. Очень странная женщина...

Выйдя на улицу, Надежда включила телефон, и он тут же нетерпеливо зазвонил. На дисплее высветился номер Галины Сизовой.

Надежда поднесла трубку к уху и услышала озабоченный Галкин голос:

— Надь, ты что-то не отвечаешь и не отвечаешь... я тебе уже полчаса звоню.

— Да я на вечере была, телефон выключила, — начала оправдываться Надежда, но Галка ее не слушала:

— А я была у Вити в больнице, и представляешь, он кое-что вспомнил.

— Вспомнил? Что именно?

— Представляешь — мне не говорит! Просит, чтобы непременно ты пришла!

В голосе Галины прозвучала плохо скрытая ревность, которую она тут же обуздала, сказав виноватым, извиняющимся тоном:

— Так ты придешь к нему? Я понимаю, что у тебя свои дела, но все же... Это может быть важно.

— Ладно, приду! — вздохнула Надежда. — Это и правда может быть важно. Но только уж не сегодня...

— Что ты, конечно! Сейчас там уже все закрыто. Приходи, когда сможешь.

Договорились, что Надежда навестит Виктора завтра.

Ночью Надежде не спалось, ее одолели тревожные мысли. Не понравилась ей встреченная в Доме актера женщина. В ресторане, когда она была в жутком платье в розочках, хотелось назвать ее теткой, сегодня же — только дамой. Приличная такая дама, дорого и со вкусом одетая, ходит не абы куда, а на прием в Дом актера, а туда пускают только по приглашениям. Трудно было представить ее в том виде, в каком она засветилась в ресторане. Но у Надежды в этом смысле глаз что ватерпас, то есть очень хорошая память на лица, поэтому она точно знала, что женщина из ресторана и женщина из Дома актера — одно и то же лицо. И это было очень странно, а учитывая подслушанный Надеждой разговор, еще и криминально. Что там говорил бывший муж? Что когда-то он эту женщину знал?

«Нужно звонить бывшему, — обреченно подумала Надежда. — Но как же не хочется...»

На этой грустной ноте она заснула.

Феликс проснулся поздним, темным и мрачным, октябрьским утром.

В дверях снова стоял Григорий, но на этот раз, как и положено, при полном параде и с подносом в руках.

Однако на его лице читалось беспокойство, а губа едва заметно подергивалась, словно ему не терпелось что-то сообщить.

— Что случилось, Григорий? — спросил Феликс, садясь в постели.

— Ох, ваше сиятельство, и правда случилось! Новая лево-рюция, Ленин с энтим... как его... Троцким власть взяли. По всему городу разбойники в черной коже на автомобилях раскатывают да матросы с пулеметами. Окружной суд сожгли, банк разграбили. У Энгельгардтов уже особняк разнесли.

«Надо же, маменька как чувствовала!» — подумал Феликс.

— Завтракать не буду! — сказал он слуге.

— Ну хоть кофий выпейте, ваше сиятельство! Как же так, совсем без завтрака!

— Ладно, кофе выпью, чтобы тебя не расстраивать.

Феликс залпом выпил кофе, поднялся, подошел к окну и отдернул тяжелую штору.

На улице были те петербургские сумерки, что царят в этом городе больше полугода, — не поймешь, то ли утро, то ли вечер, то ли поздняя осень, то ли ранняя весна. По тротуару шли несколько расхристанных дезертиров с винтовками, между ними плелся старик в разорванной генеральской шинели с оторванными погонами. Он то и дело спотыкался, сбивался с дороги, и тогда один из дезертиров тыкал его в спину штыком, добавляя непечатное слово.

Лицо старого генерала было покрыто коростой грязи и крови. Приглядевшись, Феликс увидел, что на месте глаз у него зияют две кровоточащие раны, оттого он и спотыкается, оттого и идет не разбирая дороги.

Феликс охнул, бросился к комоду карельской березы, где хранился у него славный шестизарядный «веблей». Но когда он уже достал револьвер и хотел положить в карман халата, почувствовал на плече чью-то тяжелую и твердую руку. Резко обернувшись, он увидел Григория.

Князь изумленно поднял брови: старый слуга никогда не позволял себе дотронуться до хозяина.

— Видать, и ты свободу почувствовал? — проговорил Феликс раздраженно.

— Ваше сиятельство, не извольте обижать старика! — прохрипел Григорий. — Только положьте вы энтот револьвер! Ничего хорошего из этого не выйдет. Подумайте о маменьке вашей, о княгине, и об остальных… вы теперь за всех отвечаете!

Феликс опустил глаза, закусил губу.

Григорий прав… нельзя поддаваться минутному чувству. Нужно думать о близких, о домочадцах.

Утром, как обычно, позвонил муж, не бывший, а самый что ни на есть настоящий, и сказал, что его работа в Нижнем подходит к концу и скоро он появится дома, а то Надежда его небось потеряла. Надежда уверила Сан Саныча, что так оно и есть, и строго спросила, когда же он явится, сегодня или завтра?

Муж замялся и сказал, что завтра, пожалуй, не получится, но послезавтра вполне возможно. Надежда очень удачно скрыла радость в голосе и сдержанно попрощалась.

— Бейсик, — сказала она появившемуся коту, — Саша приедет послезавтра. Так что у нас максимум два дня, чтобы закончить наши дела.

Кот посмотрел строго и дал понять, что с Надеждой у него никаких дел быть не может, что у нее свои личные дела, которые он, Бейсик, очень не одобряет.

Надежда сделала вид, что не поняла его взглядов и положила в миску двойную порцию консервов.

«Не подлизывайся», — мурлыкнул кот, рьяно принявшись за еду.

Честно говоря, Надежде и самой было любопытно узнать, что вспомнил Виктор, поэтому сразу после завтрака она отправилась в больницу, по дороге заскочив в магазин, чтобы купить яблок и апельсинов. Хотя, судя по звонку Галки, она в больнице уже дневала и ночевала, все же нехорошо являться с пустыми руками.

Виктор выглядел не в пример бодрее, чем прежде, и встретил Надежду с радостью. Повязку сняли, теперь рана на голове была просто заклеена пластырем. Надежда нашла Виктора не в палате, а в холле, где на продавленном диване двое унылых индивидуумов пытались смотреть новости по телевизору, а дежурная сестра безуспешно гнала их в палату. Наконец сестра победила, выдернув вилку телевизора из розетки, и больные поплелись прочь.

— Ты пришла! Как удачно! Я кое-что вспомнил... — Виктор плюхнулся на потертый кожаный диван.

Выглядел он посвежевшим, был чисто выбрит и одет не в пижаму, а в приличный спортивный костюм, из чего Надежда сделала вывод, что жена за ним присматривает.

— Что именно ты вспомнил? — поинтересовалась она, на всякий случай садясь подальше от Виктора.

Кто его знает, может, у него рецидив?

— Тот самый вечер, когда все это случилось... ну, когда мы встречались в ресторане.

— Ну, давай выкладывай, пока воспоминания свежи! Что конкретно ты вспомнил?

Виктор прикрыл глаза, как будто от яркого света, и заговорил медленно, неуверенно, словно пристально вглядываясь в события того рокового вечера.

— Понимаешь, я помню, как шел за одной женщиной... хотел ее догнать...

— Поня-я-ятно! — процедила Надежда, поджав губы. Она вспомнила, как Виктор вел себя в ресторане, как стоял перед ней на коленях, нес какую-то несусветную чушь...

— Да нет, ничего такого, ты не подумай, я с ней просто поговорить хотел...

— Да конечно! Ладно, ты не отвлекайся на посторонние темы, говори, что вспомнил!

— Да, так вот, я вошел в какую-то комнату и увидел... на полу лежала та женщина, она не шевелилась, а над ней склонился мужчина... Представляешь, только что я ее видел живой и здоровой, а тут она лежит без признаков жизни!

— И что дальше было?

— Ну, я подошел и спросил: что с ней случилось? А тот мужчина выпрямился, повернулся, сказал что-то...

— Что именно — не помнишь?

— Да что-то такое... вроде: «Ты здесь что делаешь? Ты вообще кто такой?» А потом... потом он вдруг замахнулся и ударил меня по голове. А потом... потом я ничего не помню... потом я как провалился... — Виктор тяжело вздохнул и развел руками: — Извини, больше ничего не вспомнил.

— Значит, по голове... А что у него в руках было?

— Да ничего не было, кулаком ударил.

— Кулако-ом? — протянула Надежда. — Ну, силен мужик... раз ты сознание потерял. Впрочем, тебе в твоем состоянии много не нужно.

— Грешно смеяться над больным человеком... — обиженно процитировал Виктор культовый фильм.

— Да на тебе пахать можно! — ответила Надежда в том же духе, после чего оба рассмеялись. — Ладно, уже хоть что-то, — Надежда придвинулась ближе и погладила Виктора по руке, убедившись, что с головой у него все в порядке. — Все же прогресс. А как выглядел тот мужчина?

Виктор снова прищурил глаза и неуверенно произнес:

— Крупный такой, рослый... бородка у него старомодная.

— Старомодная — это как?

— Ну, такая, клинышком... как до революции носили. Да, и еще виски седые. На профессора похож из старого фильма, знаешь, в нашем детстве часто по телику крутили — не то «Член правительства», не то «Депутат Балтики»...

— Может, вообще «Броненосец «"Потемкин"»? — рассердилась Надежда.

— Не, в «Потемкине» мясо червивое ели и коляска по лестнице катилась, я точно помню... А в том фильме был профессор старорежимный, он потом перековался. А больше ничего не помню, хоть ты меня режь!

— Ну ладно, хоть что-то! — Надежда сразу засобиралась, выложив ему на колени фрукты.

Виктор ее не удерживал — было видно, что воспоминания его утомили. Надежда проводила его до палаты, и Сизов слабым голосом сказал:

— Надя, ты приходи еще. А то Галка на работу на полный день устроилась и теперь приходит только вечером, и то не каждый день.

«Правильно делает», — подумала Надежда, но вслух, разумеется, ничего не сказала.

Она прямиком отправилась в ресторан Леонида Белугина. Гардеробщик был уже другой, очевидно, того, с усами, уволили по требованию Котовича.

Надежда сказала, что она по делу к Алине Сергеевне, но сначала прошла к Вадиму.

Вадим сидел в своей комнатушке и правил какую-то программу, жизнерадостно насвистывая. Надежде Николаевне он обрадовался, как старой знакомой.

— Ну, как ваше расследование — подвигается?

— Есть кое-какие сдвиги. Я как раз потому и пришла, что нужна ваша помощь.

— Чем смогу!

— Сможете, сможете! Покажите мне еще раз записи за тот вечер... ну, вы понимаете... когда это все произошло.

— С уличной камеры?

— Нет, меня интересуют записи внутри ресторана.

Вадим порылся в компьютере и нашел нужный файл.

— Вот это — с камеры в главном зале, а другие мы в тот вечер не включали.

Надежда склонилась над экраном и принялась просматривать в ускоренном режиме записи за роковой вечер. Изображение на экране было немного искаженным, растянутым, как в дверном глазке, зато охватывало почти весь зал.

Вначале зал был почти пуст, только за столом возле окна две девушки пили кофе, о чем-то оживленно болтая. При ускоренном просмотре в их движениях было что-то комическое, как в ранних немых кинофильмах с Максом Линдером или Чарли Чаплином.

Постепенно зал начал заполняться. Появлялись уже и знакомые лица. Вот начали собираться Надеждины однокурсники... вот пришел Димка Шапиро...

А потом за угловой столик сел крупный вальяжный мужчина в хорошо сшитом костюме. Заостренная бородка, седые виски... это, несомненно, был тот самый человек, о котором говорил Виктор. Он вполне подходил под описание.

— И правда на старорежимного профессора похож... — протянула Надежда. — Можно мне увеличить и распечатать фотографию вот этого мужчины? — попросила она Вадима.

— Нет ничего проще!

И через минуту в руках Надежды была довольно сносная фотография незнакомца.

С этой фотографией она вышла в главный зал ресторана и показала ее официанткам:

— Никто не помнит этого человека?

— Нет, я такого не помню, — покачала головой первая девушка, к которой подошла Надежда. — А когда он у нас был?

Надежда назвала дату, и официантка развела руками:

— Ну, так я в тот вечер вообще не работала.

— А кто работал?

— Лиза Ярмолина работала, — подала голос вторая официантка. — Она сегодня с утра была, а сейчас как раз уходит. Вы ее еще застанете, она сейчас в подсобке...

В это время Надежда заметила, что бармен делает ей знаки глазами. Оказывается, в дверях зала стояла Алина Сергеевна и смотрела на нее полярным волком.

— Что вы тут делаете? — спросила она холодно.

Ах, вот как! Вроде бы вместе пили кофе и ели плюшки, болтали о своем, о девичьем, а теперь снова на вы...

— Работаю, — ответила Надежда спокойно. — Дело, которое мне поручили, еще не закончено.

— Но муж сказал, что Галину Сизову выпустили... — Алина несколько сбавила тон.

— Это так, но убийца все еще не найден. Вы ведь не хотите, чтобы полиция снова начала ходить к вам как на работу? Понравится ли это богатым клиентам, таким, как господин Котович?

Надежда не любила делать людям больно, но на этот раз пришлось. Несомненно, склочный Котович устроил Алине веселую жизнь по поводу предательства гардеробщика. И не стал обедать в другом ресторане только из жадности.

А у Надежды с ним сложились неплохие отношения, так что...

— Хорошо, занимайтесь своим делом, — процедила Алина Сергеевна. — Я распоряжусь, чтобы вам оказывали содействие.

Что ж, и на том спасибо. Надежда устремилась в служебное помещение и увидела там одевающуюся девушку с короткими светлыми волосами.

— Вы Лиза?

— Да. А что случилось? Если вы по поводу той женщины, которой платье облили кетчупом, — так это она сама... сама на себя опрокинула и скандал подняла...

— Да нет, я совсем по другому поводу, — заверила ее Надежда и показала фотографию. — Вы не узнаете этого человека?

Официантка пригляделась к снимку и кивнула:

— Да, я его обслуживала. Заказал кофе-американо, салат «Цезарь» с креветками и свинину по-милански. Приличный такой мужчина, чаевые дал хорошие...

— А что-нибудь еще вы про него помните? Что он говорил, с кем общался?

— Нет, ничего такого не помню. Да и где мне все упомнить — вечер был трудный, гостей полно, носилась как белка в колесе...

Надежда Николаевна разочарованно вздохнула. С чего она взяла, что сможет найти неизвестного человека по описанию или даже по фотографии? Это не легче, чем отыскать иголку в стоге сена. А может быть, даже сложнее.

Она уже хотела уйти, но тут официантка прищурилась и проговорила:

— Ах да... ведь потом, когда он ушел, я под его столом футляр нашла.

— Футляр? — встрепенулась Надежда. — Какой футляр?

— Кожаный... старый такой.

— От чего футляр-то?

— Не знаю, — официантка пожала плечами. — Буковки на нем какие-то не наши, английские наверное. Я этот футляр сразу Алине Сергеевне отдала, она его положила в ящик, куда складывает все, что рассеянные клиенты забыли. Сами знаете, мало ли кто что ценное оставит, у нас ничего не пропадает...

Надежда оживилась.

— А вы не знаете, потом этот мужчина пришел за футляром?

— Вот чего не знаю, того не знаю. Это уж вы у Алины Сергеевны спросите. Только я думаю, вряд ли он пришел. Уж больно старый был футляр, кому он нужен!

Надежда поблагодарила Лизу и отправилась к администратору.

Алина Сергеевна с кем-то разговаривала по телефону, делая одновременно записи в блокноте. Увидев Надежду, она чуть заметно поморщилась, прикрыла трубку ладонью и вполголоса проговорила:

— Извините, я занята!

— А мне вы и не нужны, — ответила Надежда Николаевна, изобразив на лице хищную улыбку. — Мне нужен ваш ящик... ну, это ваше бюро находок!

Алина вытащила из-под стола ящик, придвинула к Надежде и снова заговорила по телефону:

— Извините, я вас слушаю. Значит, два человека у вас веганы, один мусульманин, один не переносит глютена и еще у одного аллергия на арахис...

Надежда склонилась над ящиком. В нем было три или четыре мобильных телефона, одна массивная сережка с зеленым камнем, два складных зонтика, связка ключей, новенькое кожаное портмоне и кожаный, сильно потертый продолговатый футляр с вытисненными на нем мелкими золотистыми буквами. Несомненно, это был тот самый футляр, о котором говорила официантка Лиза. Надежда, не спрашивая разрешения, убрала в футляр в свою сумку. Алина Сергеевна по-прежнему разговаривала по телефону, да и вряд ли ей был нужен этот футляр. Кому он вообще нужен?

Вернувшись домой, Надежда Николаевна внимательно осмотрела свою добычу.

Футляр был, как уже сказано, из старой, сильно потертой кожи, внутри отделан синим бархатом. По форме Надежда догадалась, что это футляр от старинной лупы. Когда она трудилась в научно-исследовательском институте, в их отделе работал старый инженер Валентин Орестович, у которого была старинная немецкая лупа, доставшаяся ему еще от деда. И хранил он ее в таком же кожаном футляре.

Надежда прочитала на футляре мелкие золотые буковки: Carl Zeiss Jena. Ну да, знаменитая мастерская Карла Цейсса в Йене, одна из самых известных оптических фирм Германии, которая и в наши дни производит прекрасную оптику.

Ниже этой надписи была еще одна, покрупнее и более размашистая, и не на немецком, а на русском, но тоже тисненная золотом: «Г.А. Штукенвассеръ».

Ага, скорее всего, это имя первого владельца лупы, который, судя по твердому знаку на конце фамилии, жил еще до революции.

Фамилия Штукенвассер показалась Надежде Николаевне смутно знакомой. Она включила компьютер, запустила поиск и почти сразу нашла учебник по сопротивлению материалов под редакцией профессора Александра Германовича Штукенвассера.

Так вот почему эта фамилия показалась ей знакомой! У них в институте именно по этому учебнику читали курс сопромата, и Надежда готовилась по нему к экзаменам. Должно быть, лупа, футляр от которой сейчас разглядывала Надежда, принадлежала отцу профессора. А может, и его деду. Вполне возможно, что его звали по семейной традиции Германом Александровичем...

Надежда снова запустила поиск по фамилии Штукенвассер, на этот раз более широкий. Все же эта фамилия не слишком распространенная, в отличие, скажем, от фамилий Иванов или даже Шульц. Скорее всего, все найденные Штукенвассеры были близкими или дальними родственниками.

Больше всего ссылок нашлось на того же профессора, крупного специалиста по теории сопротивления металлов. Профессор написал не один десяток книг и умер двадцать лет назад. Затем на исторической, так сказать, сцене появился его сын — Герман Александрович. Как и отец, он занимался академической наукой, но не сопротивлением материалов, а гидродинамикой и работал в приличном по тем временам институте имени профессора Попова.

Надежда нашла в Сети сайт института и обнаружила там сведения о преподавателях, среди которых был и Герман Александрович Штукенвассер.

Научные успехи у него были более скромные, чем у отца, — он защитил только кандидатскую диссертацию, выпустил единственный, не слишком популярный учебник и дослужился только до доцента. В этой должности и проработал до пенсии, на которую вышел несколько неожиданно, когда уже работал над докторской диссертацией.

«Ну что ж, — подумала Надежда, — возможно, доцент Штукенвассер переутомился и решил отдохнуть». Однако заслуженным отдыхом он наслаждался недолго, ибо через пять лет после выхода на пенсию скончался от обширного инфаркта.

У Германа Александровича был сын, которого, как нетрудно догадаться, звали Александром Германовичем. Этот отпрыск семейства Штукенвассер окончил тот же институт, в котором работал его отец, и даже по той же специальности.

«Все ясно, — решила Надежда. — Папочка пристроил сына на свою кафедру, чтобы обеспечить ему успешную научную карьеру». Когда сама Надежда училась в институте, у них на курсе тоже было несколько профессорских сынков. Избалованные бездельники, они учились через пень-колоду, не сомневаясь, что папино влияние обеспечит им и хорошие оценки, и благополучное трудоустройство после окончания института.

Однако вскоре произошли известные всем события — перестройка, развал академической системы, — и вчерашние мажоры оказались у разбитого корыта.

Так что Надежда ничуть не удивилась, узнав из Всемирной сети, что Александр Штукенвассер неожиданно бросил успешную научную карьеру и ушел из института, создав небольшую коммерческую фирму. Больше ее удивило другое: сопоставив даты, она выяснила, что Штукенвассер-старший ушел на пенсию в то же самое время, когда его сын покинул институт и занялся коммерцией.

В принципе, в этом не было ничего странного. Как только папа ушел со своего поста, Александр лишился его поддержки и решил сменить сферу деятельности... Но что-то здесь не складывалось. Чувствовалась какая-то нестыковка. Надежда не могла найти ничего конкретного, но ощущала эту нестыковку шестым чувством.

Покопавшись еще в Интернете, Надежда нашла архив институтской многотиражной газеты «Динамик», просмотрела номера за тот год, когда пресеклась академическая карьера обоих Штукенвассеров, и заметила нечто странное.

В течение года в газете было опубликовано несколько статей о профессорах и преподавателях, которые уходили на пенсию. Авторы этих статей в самых цветистых выражениях говорили о выдающихся заслугах старых преподавателей, об их огромном вкладе в научную славу института и о том, как оставшиеся сотрудники сожалеют о том, что больше не будут с ними работать. В общем, не более чем красивые слова, дань условности — но таковы правила хорошего тона. Об уходящих на пенсию, как об умерших, — только хорошее, и как можно больше.

И только о Германе Александровиче Штукенвассере в газете не было сказано ни слова. Зато промелькнула небольшая заметка какого-то активного старшекурсника о том, как институтское начальство замяло скандал на кафедре гидродинамики. Вышеупомянутое шестое чувство говорило Надежде, что она нащупала что-то криминальное, но ни в институтской газете, ни на сайте больше ничего интересного не нашлось.

Тогда она просмотрела архивы городских газет за тот же период, указав в запросе на поиск «скандал в институте имени Попова». И довольно быстро нашла небольшую статью, из которой узнала, что в то самое время на кафедре гидродинамики было совершено хищение в особо крупных размерах.

«Что можно похитить на кафедре? — подумала Надежда, вспоминая студенческие годы. — Олово для пайки? Миллиметровую бумагу? Переходящий вымпел победителя социалистического соревнования? Бюст профессора Попова? Нет, он, конечно, был уважаемым человеком, крупным ученым, радио опять же изобрел, хотя и не точно... Но его бюст точно не представляет никакой ценности».

Она прошерстила еще несколько газет — и наконец события того давнего года вырисовались перед ней во всей своей банальной неприглядности.

В то время (а это было начало девяностых) в учебных институтах и научных организациях дела обстояли более чем плохо. Все законопослушные сотрудники искали способы подработать более или менее легальным способом, а менее законопослушные воровали у родного института все, что плохо лежало и представляло собой хоть какую-то ценность. Очень популярным бизнесом стало извлечение драгметаллов из микросхем. Некоторые умельцы конструировали на основе обычной кофемолки специальное устройство, которое измельчало микросхемы, после чего из порошка на центрифуге можно было выделить высокопробное золото или платину. Еще выше ценились редкоземельные металлы — потому что некоторые из них, к примеру такие, как лютеций и тербий, действительно очень редки, сложны в получении и стоят дороже золота.

Так вот, на кафедре гидродинамики института имени профессора Попова исчезло несколько высокоточных приборов, в которых имелось довольно значительное количество редкоземельного металла лютеция. К исчезновению этих приборов оказался причастен сын доцента Штукенвассера Александр. Доказать ничего не смогли, но и сомнений на его счет ни у кого не было.

Пожилой, уважаемый преподаватель, пользуясь своей репутацией и связями, кое-как сумел замять скандал, но сам очень тяжело его пережил и ушел на пенсию, чтобы не смотреть в глаза коллегам. А через несколько лет умер.

Сын его тоже, разумеется, ушел из института и создал коммерческую фирму, вложив в нее, по-видимому, деньги, вырученные за украденный металл. Как почти все начинающие бизнесмены в то время, он занимался поставкой компьютеров. Но дела у него пошли не слишком хорошо, и фирма вскоре разорилась. Однако Александр Штукенвассер не сложил руки. Он создал новую фирму, затем еще одну...

Наконец, через пять лет после ухода из института, он набрел на интересную тему. К тому времени в нашей стране уже появилось много богатых людей, так называемых новых русских. Накупив малиновых пиджаков и «мерседесов», научившись пользоваться ножом и вилкой, а то и щипчиками для лобстеров, построив уродливые кирпичные особняки в стиле «тюремного ампира», эти новые хозяева жизни задумались о том, как придать своему новому статусу некое подобие респектабельности и благородства. И тогда появился спрос на поиски аристократических корней, создание родословных и генеалогических древ.

Александр Штукенвассер решил заняться этим многообещающим бизнесом. Его собственная фамилия звучала достаточно необычно и неопытному человеку вполне могла показаться аристократической. Штукенвассер нашел безработного историка, какое-то время проработавшего в центральном историческом архиве, снял помещение в особняке девятнадцатого века, переделанном под бизнес-центр, обставил офис антикварной мебелью (благо она тогда продавалась на каждом шагу и была недорогой) и начал завлекать в свои сети процветающих бизнесменов, мечтающих об аристократическом происхождении.

Со временем его бизнес расширился. Генеалогические исследования понадобились не только удачливым, процветающим бизнесменам, но также (и даже в большей степени) девушкам и молодым женщинам, на этих самых бизнесменов охотящимся, как на ценную дичь. Невеста с выдающейся родословной, восходящей к какому-нибудь конюшему царя Алексея Михайловича, котировалась куда выше обычной провинциальной девушки. А состряпать такую родословную ничего не стоило, особенно если учесть, что новые русские в большинстве своем не знали, чем конюший отличается от обычного конюха, а постельничий — от гостиничного портье.

Немного позже появилась еще одна разновидность заказчиков — чиновники. Оказалось, что если прежде, в советские времена, для успешной государственной карьеры непременно требовалось рабоче-крестьянское происхождение, то в новое время выше котировались чиновники с дворянскими корнями.

А немного позже Штукенвассер открыл еще один вид деятельности. Его фирма стала заниматься исследованием старых зданий, доказывая по требованию заказчика, что эти здания являются историческими памятниками или, наоборот, не являются таковыми. Фирма Штукенвассера называлась красивым словом «Реноме» и уже много лет держалась на плаву.

Надежда открыла их сайт, к слову сказать, оформленный очень красиво. Название фирмы было выведено затейливой славянской вязью на голубом щите, который с двух сторон поддерживали геральдические звери — лев и единорог. Ниже было написано: «Вы чувствуете в себе древние аристократические корни? Вы подозреваете, что ваша прабабушка была фрейлиной последней императрицы, а прадедушка — камергером? Вам снятся придворные балы и приемы? Приходите к нам, в фирму «Реноме», и мы поможем вам восстановить свое благородное происхождение! Создание родословных и генеалогического древа, восстановление утраченных титулов, проверка зданий и строений на статус памятников истории и культуры».

Надежда Николаевна решила, что нужно наведаться в эту фирму, чтобы убедиться, что именно ее владелец Александр Штукенвассер был в тот роковой вечер в ресторане и что именно его видел Виктор Сизов на месте преступления. Очень вероятно, что именно этот тип убил несчастную блондинку Оксану Корюшкину, а значит, явно опасен.

Поэтому прежде всего нужно было решить, как обставить свое появление в фирме «Реноме». Конечно, можно выдать себя за журналистку из небольшой городской газеты или за инспектора какой-нибудь сомнительной службы, но куда проще и надежнее было представиться потенциальной клиенткой. С клиентами в любой фирме разговаривают охотно и во всем идут им навстречу.

Заказать им родословную? Но тогда придется назвать им какое-то имя, пусть не свое, но достаточно правдоподобное, перечислить родственников... а тут очень легко попасться на вранье и нестыковках.

Очень кстати Надежда вспомнила историю, которую рассказала ей одна давняя знакомая. После НИИ, в котором она работала вместе с Надеждой, эта знакомая перешла в небольшое конструкторское бюро, размещавшееся в старом здании недалеко от Смольного. И вдруг какая-то богатая фирма захотела это здание купить, снести и построить на его месте торговый центр. Дело уже шло к тому, что бюро должны были выселить из особняка, но тут один из сотрудников раскопал в какой-то книге девятнадцатого века упоминание об их особняке. Выяснилось, что в этом здании однажды заночевал Николай Васильевич Гоголь, и возможно, именно тогда у него зародился замысел повести «Портрет».

Об этом сразу же написали газеты, здание объявили памятником культуры и снос отменили. Правда, со временем конструкторское бюро все равно перевели, причем в такую даль, на самый край города, а в особнячке обосновался филиал крупного московского банка. Знакомая Надежды из бюро, разумеется, тут же уволилась и нашла работу в этом самом банке. Повезло, в общем.

Пожалуй, подобный случай относится как раз к компетенции фирмы «Реноме».

Надежда посмотрела на часы — время обеда. Это хорошо. Значит, когда она придет, сотрудники будут сытые и разговорчивые. На следующий день откладывать визит было никак нельзя: вдруг муж вернется, как обещал. Хотя и сомнительно, но на всякий случай нужно ко всему быть готовой.

Надежда с тоской заглянула в холодильник и поняла, что он пуст, как зимнее поле, а стало быть, вечером нужно обязательно зайти в супермаркет. А пока — в «Реноме»!

Она оделась поприличнее и отправилась по адресу, указанному на сайте фирмы.

Фирма «Реноме» располагалась в бизнес-центре «Ренессанс», недалеко от Владимирской площади. Бизнес-центр, в свою очередь, занимал красивое здание девятнадцатого века, прекрасно отреставрированное и поделенное на множество офисов.

В офисе фирмы «Реноме» все говорило о тяге к прошлому, о глубоких исторических корнях и респектабельности. Антикварная мебель, приглушенный свет, тяжелые портьеры на окнах, старинные гравюры на стенах, в основном с изображениями господ в напудренных париках и пышных камзолах.

Едва Надежда вошла в офис, к ней устремилась старообразная особа в длинной черной юбке и кружевной блузке с высоким воротом, заколотым крупной брошью с камеей. Подойдя к Надежде, она всплеснула руками и воскликнула:

— Mon Dieu! Какое у вас лицо! Этот подбородок... это определенно от Бурбонов... или от Габсбургов... а этот нос! Magnifique! Аннет, Аннет, подойди, взгляни на этот нос! Это определенно фамильный нос Монморанси! Или, возможно, Виттельсбахов...

Тут же подоспело еще одно увядшее создание в длинной юбке и заквохтало:

— Нет, Мари, ты не права. Этот нос не от Монморанси, а от Воротынских! Определенно, здесь прослеживается кровь Рюрика... или, возможно, Гедимина... в любом случае, Мари, это наше, отечественное дворянство!

— Дамы, дамы, не напрягайтесь! — вмешалась в этот увлекательный разговор Надежда. — По-французски я ни в зуб ногой и вообще пришла не за липовой родословной...

— Не за родословной? — разочарованно протянула особа номер один. — Очень жаль! У вас, ma chere, весьма многообещающая внешность! Мы могли бы вывести ваш род от какого-нибудь королевского дома... но тогда чего вы хотите?

— У меня вопрос недвижимости. Старинное здание. Исторический памятник.

— Ах, памятник! — дама обернулась и крикнула куда-то в глубину комнаты:

— Дарья Степановна, это к вам!

Из глубины офиса, как большая рыба из темного омута, выплыла крупная немолодая дама с двойным подбородком, в широкой клетчатой юбке и таком же пиджаке. Оглядев Надежду, она кивнула ей и пригласила в свой кабинет.

Обстановка в кабинете была куда более скромная и лаконичная. На окнах висели не пыльные плюшевые портьеры, а светлые жалюзи, стол был не антикварный, а обычный офисный, на котором в беспорядке были навалены какие-то чертежи и планы. На стенах, правда, тоже висели гравюры в рамках, но это были исключительно старинные карты и городские планы.

Женщина уселась за стол и указала Надежде на свободный стул по другую сторону.

— Слушаю вас!

— Вы понимаете, — начала Надежда суетливым, бестолковым тоном, — меня прислал мой шеф... в смысле начальник... у нас фирма... в смысле организация... мы много лет в этом здании, а нас хотят из него выселить... чтобы, значит, его снести, а на его месте...

— Понятно, — женщина кивнула. — И вы, значит, хотите доказать, что это здание — исторический памятник и не подлежит сносу? Я вас правильно поняла?

— Я-то что, я человек маленький... это так мой шеф хочет, в смысле начальник...

— Я вас поняла. Для начала мне нужны документы на здание. А до этого нам нужно будет подписать договор, оговорить объем и стоимость работ...

Надежда уже не знала, как еще потянуть время, но тут дверь кабинета приоткрылась и в него заглянул высокий, крупный мужчина с небольшой остроконечной бородкой и благородными седыми висками.

— Дарья Степановна, — проговорил он красивым, глубоким тембром матерого мошенника, — я пошел обедать в «Маэстро», вернусь через час. Если без меня придет Кувшинкин, объясните ему, почему мы повысили расценки. Я на вас надеюсь.

— Да, Александр Германович! — ответила хозяйка кабинета, преданно глядя на шефа. — Я все поняла, Александр Германович! Можете не волноваться, Александр Германович!

Надежда Николаевна проводила мужчину заинтересованным взглядом.

Несомненно, это был тот самый человек, которого видел Виктор Сизов на месте преступления. Тот самый человек, который ударил его по голове.

Тот самый, кого Надежда Николаевна хотела выследить. Тот самый, который вполне мог быть убийцей. Рослый, бородка клинышком, седые виски...

— Так вы меня поняли? — громко повторила Дарья Степановна.

— Что, извините?

— Мы должны подписать договор, затем понадобятся документы на ваше здание...

— А, вот как! Тогда я непременно должна проконсультироваться со своим шефом, в смысле начальником, — и Надежда торопливо поднялась из-за стола.

Покинув кабинет, она тут же столкнулась с одной из засушенных архивных дам и, не дав той открыть рта, спросила, где находится ресторан «Маэстро».

— «Маэстро»? Это, ma chere, в Бобруйском переулке. Как выйдете из нашего палаццо, идите налево до угла, там и будет Бобруйский переулок. И все же, ma chere, я вам очень советую разобраться в своей родословной. У вас наверняка имеются аристократические корни! Нужно только покопаться...

— Как-нибудь потом покопаемся! — отмахнулась от нее Надежда Николаевна.

Выскользнув из особняка, она пошла в указанном направлении и очень скоро нашла ресторан, над входом в который висела яркая светящаяся вывеска: «Маэстро».

Надежда вошла внутрь и сразу попала в поле зрения девушки-метрдотеля. Судя по неприступному и высокомерному виду девицы, ресторан был дорогой.

Ого, стало быть, дела у господина Штукенвассера идут очень даже неплохо.

— Вы одна? — осведомилась девица, внимательно оглядев Надежду с головы до ног.

— И что? — против воли, завелась Надежда. Очень уж ей не понравился пренебрежительный взгляд девицы. Вроде бы и пальто на ней вполне приличное, в свое время купленное в дорогом магазине со скидкой, а эта смотрит так, будто бомжиха зашла погреться.

— Не беспокойтесь, я не одна! — сухо отрезала Надежда Николаевна. — Меня ждут!

— Кто именно? — проговорила девушка недоверчиво.

— Александр Германович!

Это имя, судя по всему, произвело на метрдотеля благоприятное впечатление. Лицо девицы разгладилось, и она указала на стол в глубине ресторана:

— Пожалуйста, он здесь. Проводить вас к нему?

— Спасибо, не нужно.

Надежда и сама уже заметила представительного мужчину с седыми висками и старомодной остроконечной бородкой. Он неторопливо ел какой-то салат.

Надежда подошла к его столику.

— Вы позволите?

Мужчина удивленно взглянул на нее:

— По-моему, здесь много свободных мест.

— А я хочу к вам, Александр Германович.

— Мы что — знакомы? — он удивленно поднял брови и окинул Надежду изучающим взглядом.

— Не думаю. Но у нас есть тема для разговора.

— Какая еще тема?

— Несколько дней назад вы тоже были в ресторане... — И Надежда произнесла название ресторана, где состоялась роковая встреча сокурсников.

— Вы меня с кем-то перепутали, — твердо сказал мужчина, но Надежда сразу заметила, как предательски забегали у него глаза.

— Нет, не перепутала! — и она положила перед собеседником увеличенную фотографию с видеокамеры.

Штукенвассер внимательно взглянул на фотографию, отодвинул ее от себя и принялся брезгливо ковырять салат вилкой, причем, по наблюдению Надежды, делал он это явно напоказ. Надежда отмахнулась от подошедшей официантки и уставилась на своего визави. После непродолжительного молчания он проговорил:

— Ну, допустим, я там действительно был. Всего ведь не упомнишь. И что вам от меня нужно? А для начала скажите, кто вы, собственно, такая?

— Вот это вас не должно интересовать, — теперь уже Надежда ответила твердо.

— Ну, интересно! Вы обо мне знаете подозрительно много, а я о вас — ничего...

— Хорошо, вот мой документ! — Надежда Николаевна показала Штукенвассеру удостоверение частного детектива.

Удостоверение было очень солидное, красивое и самое настоящее. Надежда Николаевна позаимствовала его у частного детектива Алены Синицы, с которой познакомилась во время очередного самодеятельного расследования*.

Тогда Надежда очень помогла Алене, а та в процессе расследования вышла замуж за собственного шефа, оставила работу и теперь сидела дома, ожидая двойню.

Недавно Надежда Николаевна навестила Алену и они очень мило поболтали и выпили чайку. Двойня — дело хлопотное, и если Алена и выйдет на работу, то очень нескоро. Так что Надежда здраво рассудила, что удостоверение ей больше не понадобится, и незаметно прихватила его со столика в прихожей. Будущая мамочка точно его не хватится.

Нехорошо, конечно, но нечего важные документы где попало разбрасывать.

Удостоверение, правда, было давно просрочено, но Надежда держала его так, что пальцем

---

* Читайте роман Н. Александровой «Восемь обезьян».

прикрывала соответствующую строчку. Заодно она прикрыла и фамилию — ей вовсе не хотелось, чтобы у Алены из-за нее были неприятности.

— Значит, вы — частный детектив? — с интересом проговорил Александр Германович. — И на кого же вы работаете?

— Вообще-то, мне не полагается называть имя заказчика. Но я могу сказать вам, что пытаюсь доказать невиновность женщины, которую арестовали по обвинению в убийстве. Вы ведь помните, что случилось в тот вечер?

— Ну, и чего вы от меня хотите? — теперь глаза у Штукенвассера больше не бегали, зато голос дрогнул.

— Я хочу, чтобы вы честно рассказали, что вы делали в тот вечер в ресторане. Все, что делали, и все, что видели. Ничего не опуская и не умалчивая.

— Да ничего особенного я не делал! — отмахнулся от нее Штукенвассер. — Поужинал и ушел... если хотите, могу вспомнить, что ел на ужин. Кажется, суфле из брокколи, рыбную лазанью и что-то еще... какой-то десерт...

— Вы путаете или просто говорите неправду, — спокойно заметила Надежда. — Вы ели салат «Цезарь» и свинину по-милански, а до десерта не дошли. Но ваше меню меня не очень интересует. А вот кое-что другое... и не пытайтесь меня убедить, что вы пришли в ресторан только поесть. У вас там была назначена встреча!

— Да ничего подобного! — огрызнулся мужчина, но глаза его снова предательски забегали.

— Ах, ничего подобного? Но у меня есть свидетель, который видел вас с той самой женщиной, которую потом убили, — многообещающе сказала Надежда.

— Какой еще свидетель? — Штукенвассер оторопел и даже не пытался этого скрыть.

— Вот этого я вам не скажу. Я не собираюсь посвящать вас в детали расследования. Но зато сделаю вот что: позвоню сейчас же следователю, который занимается этим делом, и сообщу ему все, что знаю о вас. Я уверена, что он будет благодарен. Ему не помешает новый подозреваемый... Потому что гражданку Сизову-то ведь уже освободили, улик против нее явно недостаточно. Так что ее место в камере свободно.

Надежда с удовлетворением отметила, что ее визави смертельно побледнел.

Она вздохнула и добавила доверительным тоном:

— Понимаете, Александр Германович, нам, частным детективам, нужно поддерживать хорошие отношения с полицией и следственными органами. Так что я передам вас с рук на руки следователю. И вот с ним-то вы поневоле будете более откровенны...

С этими словами Надежда достала мобильный телефон и набрала номер.

Штукенвассер нахмурился. Глаза его были устремлены куда-то за спину Надежды, он мучительно раздумывал. Видимо, взвешивал все плюсы и минусы.

Надежда тоже ждала. Блеф всегда требует терпения и выдержки. Наконец в трубке раздался щелчок и приветливый голос автомата проговорил:

— Вы позвонили в кинотеатр «Сириус». Если вы хотите узнать время начала сеансов — нажмите «один», если хотите заказать билет — нажмите «два»...

— Соедините меня, пожалуйста, со следователем Козимордовым! — уверенно проговорила Надежда.

— Во всех остальных случаях дождитесь ответа оператора! — бодро продолжал автомат.

Штукенвассер не выдержал.

— Не нужно! — выпалил он. — Не нужно говорить со следователем! Я вам все расскажу!

— Что ж, — Надежда нажала кнопку отбоя. — Рассказывайте. Только имейте в виду — если вы совершили убийство, мне все равно придется об этом сообщить. Иначе я стану вашим соучастником, а это меня никак не устраивает.

— Нет, что вы! Я не убивал ту женщину! Я вообще никого не убивал! Поверьте мне!

— Постараюсь, — протянула Надежда с такой интонацией, что каждому стало бы ясно, что она и стараться не будет. Каждому, только не Штукенвассеру, он-то дошел уже до кондиции. — Если, конечно, вы будете до конца откровенны. Но только до конца, — строго добавила Надежда.

— Я с этой женщиной, убитой, действительно встречался... — неохотно проговорил Александр Германович. — У нас с ней был... разговор...

— Не просто разговор! Она ведь хотела показать вам записку? — Надежда высказала свою догадку и тут же по лицу собеседника поняла, что попала в цель.

— Откуда вы знаете? — пролепетал Штукенвассер.

— Я много знаю, и поэтому вам лучше не пытаться меня обмануть! Это не удастся!

— Да... она случайно нашла очень важную записку и хотела мне ее продать...

— А вы, по-видимому, хотели ее купить? Значит, вы принесли в ресторан деньги?

— Нет, что вы! До оплаты дело еще не дошло, я хотел только убедиться, что записка у нее действительно есть и именно та, о которой она говорила. По ее словам, в этой записке шла речь об очень ценных бриллиантах...

— О «Голубых Звездах»? — проговорила Надежда многозначительным тоном.

— Как, вы и это знаете?

— Я знаю все! — выпалила Надежда самодовольно, и тут же где-то в глубине ее внутренний голос усмехнулся и предупредил, чтобы не очень зарывалась, потому как и удостоверение у нее фальшивое, и контактов со следователем никаких нет. И в кои-то веки Надежда признала правоту внутреннего голоса и сбавила тон: — Так что вам остается только честно и подробно рассказать, что тогда произошло.

— Но мне нечего рассказывать...

— Александр Германович! — строго сказала Надежда. — Давайте не будем пререкаться и тянуть время! У вас, конечно, обед, а у меня — служба. Так что вы мне быстренько все рассказываете в подробностях, а потом можете доедать свой салат.

Во взгляде, который Штукенвассер бросил на свою тарелку, явственно сквозило отвращение.

— Она... она связалась со мной по имейлу. Написала, что у нее есть для меня кое-что очень интересное — записка... А при моей работе очень нужны такие вещи... старые письма, записки и фотографии очень помогают воссоздать обстановку... клиенты верят таким вещам... ну, вы понимаете, это же бизнес.

— Понимаю, — проронила Надежда.

— В общем, она отказалась прийти ко мне в офис и назначила встречу в этом ресторане, причем я должен был прийти туда один, сесть за дальний столик в общем зале и ждать, когда она сама ко мне подойдет. У персонала ничего не спрашивать и не говорить, что я жду даму, а делать вид, что просто зашел поужинать.

— Вас не насторожила такая конспирация?

— Ну, я подумал, что она... как это сказать...

— Набивает цену?

— Ну да. Вы не представляете, с кем иногда приходится иметь дело! Бизнес у меня специфический, я уже ничему не удивляюсь.

— Вы это уже говорили, продолжайте.

— Я согласился. Даже если бы она не пришла, отчего не поужинать в приличном ресторане? Сделал все, как она просила, сидел долго, а как дошел до десерта... то есть я только собирался его заказать, как появилась она. Честно сказать, я был приятно поражен — такая интересная женщина...

— Блондинка...

— Ну да, но она вела себя очень сдержанно, сказала, что у нее мало времени, и показала записку, точнее ее половину.

— В каком виде?

— На микропленке. Я рассмотрел ее, потому что...

— Лупа, — улыбнулась Надежда, — у вас собой всегда старинная лупа вашего деда, так?

— Вы и это знаете... — вздохнул Штукенвассер. — В общем, записка меня чрезвычайно заинтересовала, и я выразил желание ее приобрести. То есть оригинал, конечно, а не копию. Но когда я услышал цену, у меня глаза полезли на лоб! В первый момент я возмутился: «Дорогая моя, за кого вы меня принимаете? Я не внук Рокфеллера и не родственник Билла Гейтса. К тому же нужно еще проверить, что это за записка, откуда она у вас и самое главное: настоящая ли? На рынке существует столько подделок... Нужно ее тщательно исследовать, я приглашу независимых экспертов...»

— И что ответила ваша собеседница, выслушав всю ту лапшу, которую вы старательно вешали ей на уши?

— Ну зачем сразу лапшу... — обиделся Штукенвассер. — Я, конечно, пытался ее заговорить, но все же таких денег у меня действительно нет. Я не собирался платить за записку больше десяти тысяч. Ну, пятнадцать, двадцать в самом крайнем случае. В конце концов, это же просто листок бумаги! Но у меня есть клиент, который очень интересуется такими вещами. Старые письма, карты с указанием клада, а тут речь шла о «Голубых Звездах»...

— Короче, вы хотели приобрести записку по дешевке и продать ее потом богатому клиенту задорого!

— Это бизнес... В общем, я пытался торговаться, но она была очень тверда. Или та сумма, которую она просит, и тогда она отдаст мне вторую половину записки, или мы прощаемся с ней прямо тут, и она обратится к другому человеку, который не станет жадничать. Не скрою, я обиделся и ответил ей не слишком вежливо. Она встала и ушла. Глядя ей вслед, я ощутил такое чувство...

— Красивая женщина... — Надежда подпустила в голос некоторую долю ехидства.

— Да не в том дело! Я вдруг понял, что упускаю нечто очень и очень важное. Что сама эта женщина обладает какой-то тайной и записка может быть ключом к этой тайне! И действительно, как ни фантастически это звучит, записка скорее всего подлинная, подписанная князем Феликсом Юсуповым, и в ней идет речь о «Голубых Звездах»... А это, доложу я вам, такие алмазы, что, если бы их нашли, об этом сразу же стало известно.

Надежда вспомнила, как она расшифровала половину записки, как познакомилась с деревянным Ибрагимом, как не нашла в тайнике никаких алмазов, а только веер. И кстати, совершенно о нем забыла. Хорошо бы выяснить, какое отношение он имеет к записке.

— В общем, я понял, что должен ее задержать и поговорить! — тянул свое Штукенвассер. — Я увидел, что она пересекла зал и бросился за ней, но, пока пробирался через толпу танцующих, она уже скрылась в одном из залов. А когда я добрался до того места, то увидел, что она лежит на полу мертвая. Не спрашивайте, как я это понял, просто понял — и все. Такая ужасная поза, и нож торчит из груди!

— И вы никого не увидели рядом с ней?

— Никого, совершенно никого, и это было ужасно! Только что я видел эту женщину живой, говорил с ней и вдруг вижу ее мертвой! Бездыханной! Хотя... — Штукенвассер на мгновение задумался, опустив глаза, и вполголоса замурлыкал: — «Пускай я никогда не встречал в Африке рассвет...»

— Рассвет в Африке? — перебила его Надежда. — При чем тут рассвет в Африке?

— Ну... когда я вошел в зал, мне показалось, что мимо мелькнуло что-то очень яркое... как рассвет в тропиках. Или закат.

— Может быть, это было платье в тропических цветах? — проговорила Надежда Николаевна, вспомнив разговорчивую шатенку в убийственно ярком платье.

— Очень может быть... — неуверенно согласился Штукенвассер. — Понимаете, я заметил это только боковым зрением, потому что мой взгляд был прикован к той, мертвой, женщине. Я очень расстроился — все мои планы шли насмарку...

— А что случилось дальше?

— Дальше? Я наклонился над ней, чтобы проверить пульс, — я все же надеялся, что она только ранена. Но не успел к ней прикоснуться, потому что заметил лужу крови на полу, которая все увеличивалась. И до меня наконец дошло, что нужно уходить отсюда, да и вообще из ресторана. А тут... тут появился этот мужчина...

— Виктор... — вполголоса проговорила Надежда.

— Ну, вы понимаете... он на меня посмотрел с ужасом — наверняка подумал, что это я убил...

— И вы его ударили.

— Да, в этом я признаюсь... — вздохнул мужчина. — Ударил. А что мне оставалось? Я не хотел в тюрьму! Но я его ударил не так уж сильно, с ним не должно было случиться ничего серьезного!

— Да уж! Слушайте, вы в юности боксом не занимались? Потому что этот мужчина потерял сознание и до сих пор лежит в больнице. И память к нему еще не вполне вернулась.

Последнюю фразу Надежда Николаевна произнесла нарочно, чтобы Штукенвассер забеспокоился. Даже запаниковал. А то получается, что он вроде бы и ни при чем.

— Ох, как нехорошо... честное слово, я не хотел!

— Ваше счастье, что он остался жив! А то было бы на вашей совести еще одно убийство!

— Что значит — еще одно? Говорю же вам, ту женщину я не убивал! Вы мне не верите?

— Во что я верю или не верю, не имеет значения. Важно, во что поверит следователь.

На этой мажорной ноте Надежда сочла свою миссию выполненной и откланялась, пожелав господину Штукенвассеру приятного аппетита. Тот в ответ только скрипнул зубами. Надежда пожала плечами и направилась к выходу, но вернулась, чтобы отдать Штукенвассеру потертый кожаный футляр от лупы. Ей-то он ни к чему. Штукенвассер, не глядя на нее, схватил футляр и даже не поблагодарил. Нет, все-таки некоторые люди совершенно не умеют себя вести!

Надежда почувствовала, что устала так, будто разгрузила в одиночку вагон чугунных болванок, поэтому сразу поехала домой, где ее ждал кот, голодный и одинокий.

Бейсик и правда соскучился: наевшись, он устроился у нее на коленях и дал понять, что не слезет ни под каким видом. Надежда же надолго задумалась над рассказом Штукенвассера.

Ясно, что он не убивал Оксану Корюшкину. Во-первых, у этого типа, что называется, кишка тонка. Проворроваться, упереть бесхозное имущество, слупить с лоха-клиента деньги за подделку — это он может. Сам говорит, что у него такой бизнес. А человека убить — никак. Да и зачем ему было убивать блондинку? Она ему живой была нужна. Это во-вторых.

Но тогда встает вопрос о той самой женщине в цветастом платье. Штукенвассер утверждает, что он видел ее мельком. Ошибиться он не мог — такое платье ни с каким другим не спутает даже мужчина. Получается, что это она убийца? А что? Прирезала несчастную блондинку, тут же выскочила из зала и, находясь поблизости, быстро нашла человека, на которого можно перевести стрелки.

Если бы этот идиот Витька не потащился за Оксаной, Галка не побежала бы за ним, и тогда тетка в цветастом платье сдала бы Штукенвассера. Так что зря он жалуется, ему еще повезло.

Вспомнив, как тетка визгливо орала, указывая пальцем на Галку, Надежда поежилась. Она ни за что не поверила бы в злой умысел с ее стороны, если бы не встретила эту заразу в Доме актера совершенно в ином обличье.

— Надо звонить бывшему, — вздохнула Надежда, — и вытащить из него все, что он знает об этой бабе. Верно, Бейсик?

Кот приоткрыл один глаз и завозился, устраиваясь поудобнее, так что за телефоном Надежда пошла, зажав кота под мышкой. Взглянув на часы, она поняла, что бывший уже наверняка вернулся с работы, и на всякий случай отстучала эсэмэску: «Надо поговорить. Это важно. Позвони, как сможешь».

Ответ пришел быстро: «Сейчас разговаривать не могу, давай свяжемся завтра».

— Ага, — протянула Надежда, — завтра, послезавтра, потом после дождичка в четверг... так не пойдет.

«Звони или я сама позвоню! — отстучала она. — Жду пять минут, не больше».

Через четыре минуты бывший позвонил:

— Чего тебе?

Ну, это в его духе — ни тебе «здрасте», ни «привет», ни «как дела»», а сразу: «Чего надо?»

— Поговорить о твоей знакомой, — Надежда взяла быка за рога, — о той, которую мы в ресторане видели. У нее еще платье было в жутких цветах.

— Какого черта? — грозным шепотом спросил бывший.

— Надо! — рявкнула Надежда. — Ты меня знаешь, не просто так любопытствую! Чем скорее мы увидимся, тем лучше! Тебе на работу к какому времени?

— К десяти... — ляпнул бывший и тут же пожалел об этом, потому что Надежда бурно обрадовалась:

— Чудно! Значит, встречаемся в девять часов... у вас там кафе какое-нибудь рядом есть?

— Есть...

— Вот и позавтракаем! И не вздумай меня продинамить, на работу к тебе заявлюсь или домой вечером! Какой вариант лучше?

— Оба хуже... — вздохнул бывший, поняв, что с ураганом по имени Надежда ему не справиться.

А Надежда Николаевна приободрилась, почесала кота за ухом и достала из ящика стола тот самый веер, который вытащила из пасти деревянного Ибрагима.

Надежда раскрыла веер и осмотрела его с обеих сторон. На нем были нанесены какие-то непонятные узоры. Точнее, даже не узоры, а фрагменты узоров или надписей.

Складывалось такое впечатление, что кто-то разрезал страницу книги с текстом и рисунками на десяток узких полос и соединил их в другом, бессмысленном, порядке.

Надежда сложила веер и внимательно оглядела ручку, на которую было надето серебряное кольцо с делениями и цифрами. Цифр оказалось восемь, но они были расставлены в случайном порядке. Это устройство напомнило Надежде замок на чемодане, который открывается, только если выставить на нем верный шифр.

Надежда покрутила кольцо так и этак, при этом цифры на нем меняли порядок. Да, несомненно, здесь имеет место шифр, но как его разгадать?

Надежда снова вспомнила замок на чемодане. Как-то раз она случайно сбила его шифр. И тогда, чтобы открыть чемодан, ей пришлось перебрать все комбинации. Но на том замке было только три цифры и тысяча возможных комбинаций, и то она провозилась целый час. Здесь же нужно было подобрать не три цифры, а целых восемь, а значит, возможных комбинаций сто миллионов... Ну, на это и целой жизни не хватит!

Но Надежда Лебедева не привыкла отступать. Она стала рассуждать логически. Человек, который выбирает шифр, старается подобрать его так, чтобы самому не забыть. Обычно для этого используют дни рождения — собственный или кого-то из близких. Но день и месяц рождения — это только четыре цифры. А вот если добавить еще год — получится восемь. Как раз столько, сколько цифр на этом кольце...

Надежда выписала перед собой на листке бумаги все числа, которые имели отношение к семейству Юсуповых. Дату рождения самого Феликса — 11.03.1887, его брата, родителей...

Она выставляла эти числа одно за другим и раскрывала веер. Изображения на веере были каждый раз разные, но одинаково бессмысленные.

Нет, так можно гадать сколько угодно!

Как узнать, чью дату рождения нужно набрать? А может, код не имеет никакого отношения к семейству Юсуповых? Ведь его должен был понять некий Илья Николаевич, не имеющий к Юсуповым прямого отношения.

Может быть, это какая-то важная дата, общая для всей страны, во всяком случае для ее образованного слоя? Но какая?

На всякий случай Надежда набрала на кольце дату коронации последнего русского царя — 14.05.1896, снова раскрыла веер... и облегченно выдохнула: на этот раз на одной стороне веера появилось изображение дворянского герба — рыцарский шлем в короне и скрещенные мечи, — над которым красивыми готическими буквами была написана фраза: «Любящимъ справедливость, благочестіе и вѣрность».

Скорее всего, это герб и девиз дворянского рода.

На другой стороне веера были только рисунки: разбитое колесо, меч, книга и кипарис.

Надежда Николаевна нашла в Интернете статью о князьях Юсуповых и убедилась, что у них был другой герб, куда более пышный и экзотический, и другой девиз.

Тогда она запустила поиск по тексту девиза и очень быстро выяснила, что это девиз старинного дворянского, а с середины девятнадцатого века графского рода Сумароковых.

Ну да, ведь Феликс был не только князем Юсуповым, но еще и графом Сумароковым-Эльстоном!

Так, отлично... И что же ей дает этот факт?

Почему Феликс Юсупов так хотел, чтобы некий Илья Николаевич непременно нашел этот веер и увидел, что на нем изображено? Что он должен был понять, увидев это странное изображение? Что он должен был сделать?

Для начала неплохо бы узнать, кто такой этот Илья Николаевич.

Из записки Феликса Юсупова, с которой все началось, следовало, что они с Феликсом провели вместе немало времени. Значит, это человек из близкого окружения Юсуповых, кто-то из родственников или близких друзей...

В Интернете о семье Юсуповых было множество материалов, но все они копировали друг друга. И Надежда поняла, что придется идти в библиотеку и поискать там что-то новенькое. Или, наоборот, старенькое. Вспомнив библиотеку в Доме актера, где она провела немало времени, Надежда решила отправиться именно туда. Наверняка там очень много книг о семье Юсуповых.

Но это будет завтра, причем не с утра, потому что утром у Надежды была назначена встреча с бывшим. Ой, как ей не хотелось его видеть, но Надежда вспомнила известное выражение: «Нет такого слова "не хочу", есть такое слово "надо"».

В дверь особняка постучали.

Сначала тихо, как бы на пробу, потом громче, еще громче и наконец начали молотить изо всех сил.

Григорий Бужинский спустился по лестнице с канделябром в руке, подошел к дверям и крикнул строгим голосом, каким не раз отгонял местную шпану и бродячих собак:

— А ну проваливайте!

— Открывай, контра! — донесся из-за двери хриплый надорванный голос. — Открывай, прихвостень буржуйский, сей момент, а то мы твою лавочку в щепки разнесем!

— Кто такие? — Григорий все еще старался сохранить в голосе уверенность и непреклонность, но сердце у него ушло в пятки. Он вспомнил страшные истории о ночных обысках и грабежах, которые приносила с рынка кухарка Лукерья.

Времена наступили страшные.

За спиной Григория послышались робкие голоса. Он оглянулся и увидел слуг, толпившихся у подножия лестницы. Их присутствие придало ему смелости.

— У нас имеется охранная грамота от господина комиссара Варшавского! — попробовал Григорий заговорить беду.

— А нам плевать и на твою грамоту, и на твоего варшавского комиссара! — донеслось из-за двери.

— Что ты с ним агитацию разводишь! — прозвучал второй голос, еще гнуснее первого. — Разнести дверь топором, и дело с концом! По закону военного времени…

Раздалось несколько страшных ударов.

Григорий перекрестился.

Никого из господ в доме сейчас не было — старый князь с княгинюшкой Зинаидой Николаевной давно были в Крыму, в тамошнем своем имении, молодой князь Феликс Феликсович тоже куда-то отбыли по важным делам.

С одной стороны, так оно спокойнее — хоть господ не тронут эти изверги, с другой же — вся ответственность за дом и оставшееся в нем добро лежала теперь на нем, на Григории…

На дверь обрушилось еще несколько ударов.

— Спаси и помилуй! — проговорила Лукерья.

В двери образовался узкий пролом, в него влезла страшная волосатая рука с грязными обломанными ногтями, ухватилась за засов. Еще мгновение — и дверь распахнулась, в особняк ворвалась толпа страшных, немыслимых прежде людей.

Дезертиры в прожженных, простреленных шинелях, какие-то вовсе не понятные существа в выворотных полушубках, один — в меховой безрукавке, с голыми руками, с топором. Во главе всей шайки — огромный матрос, перепоясанный пулеметными лентами, с маузером в деревянной кобуре на боку.

Шайка хлынула было вперед, но матрос остановил их властным жестом грязной руки и властным окриком:

— Ша!

— Господи, спаси и помилуй нас грешных! — в ужасе выдохнула Лукерья.

Остальные слуги молча тряслись.

— Где хозяева? — рявкнул матрос, уставившись на Григория черными пылающими глазами.

— Нет никого... — честно ответил тот, пытаясь не встречаться с матросом глазами — слишком страшны были эти глаза. — В отъезде они все...

— К белякам подались! — осклабился матрос. — Ихнее счастье, а то сейчас бы отправили их к Духонину в штаб! А ты, значит, за главного здесь остался?

Голос матроса сделался вкрадчивым, он обшаривал лицо Григория взглядом.

— За главного, — признался Григорий.

— Ну, так и отвечай за главного — где твои хозяева золотишко свое припрятали и прочие ценности-драгоценности!

— Откудова же мне знать? — промямлил Григорий, опустив глаза в пол. Он ссутулился, изображая беспомощного, хилого старика. — Откудова же мне про это знать? Нешто господа нашему брату такие вещи показывают?

Вдруг из-за спины матроса выдвинулся невысокий худой человек в приплюснутом картузе, с торчащим вперед золотым зубом и скользкими, бегающими глазами.

— Ничего, значит, не знаешь, старичок? — процедил этот человек. — Ничего не ведаешь?

— Ничего, ваше благородие! — Григорий ударил себя в грудь кулаком. — Вот те крест, ничего!

Отчего-то при виде этого золотозубого ему стало по-настоящему страшно.

— Ты мне, старичок, брось эти свои заходы! Никакое я тебе не благородие, а такой же, как ты, трудящийся человек. И я тебе, старичок, прямо скажу — или ты сей же час нам покажешь, где твои господа золотишко припрятали, или я у тебя живьем кишки выну и на вон эту каменную маруху намотаю! — золотозубый кивнул на мраморную Юнону, стоящую возле лестницы. — Ты, старичок, имей в виду, сейчас не старый порядок, сейчас я именем трудового народа могу с тобой что угодно сделать. Могу сразу порешить, а могу погодя, после мучений. Так что лучше сразу признавайся.

— Что хочешь делай, ирод, а только я тебе ничего больше не скажу! — отрезал Григорий и выпрямился — на этого золотозубого его игра явно не действовала.

— Ну ладно, старичок, было бы предложено! Ежели ты хочешь принять мучения за господское барахло, так тому и быть, вольному воля, а спасенному рай...

Золотозубый резко и неожиданно ударил Григория в живот. Старый слуга согнулся пополам, хватая ртом воздух. От боли на глазах выступили слезы. Золотозубый ударил еще раз, а когда Григорий упал на пол, несколько раз пнул его мыском сапога. Затем склонился над ним и процедил сквозь зубы:

— Ну, старичок, последний раз тебе говорю — выкладывай, где все схоронено!

Вместо ответа Григорий плюнул в золотозубого. Кровавый сгусток не долетел, шлепнулся на сапог.

Золотозубый скрипнул зубами, подскочил и всем весом обрушился на лежащего старика. Внутри у Григория что-то хрустнуло, глаза его закатились.

— Ну, мастак, Козырь! — подал голос кто-то из дезертиров.

— Да чего в том толку, — возразил другой, — все одно он ничего не узнал. Впустую возился.

— А это мы еще поглядим! — Золотозубый отошел от бесчувственного Григория и подошел к сгрудившимся позади него слугам.

— Ну что, лизоблюды господские, кто еще желает за бар своих пострадать?

Он обвел слуг тяжелым взглядом.

— Перестреляю вас к чертовой матери, все одно от вас никакой пользы! Или лучше так, ногами забью, затопчу, как энтого старика, на вас и пули-то жалко!

Вдруг кухарка Лукерья упала на колени и заверещала:

— Не обижай меня, дяденька, я все тебе скажу!

Григорий, до того не подававший признаков жизни, открыл глаза и внятно, отчетливо проговорил:

— Иуда! Гореть тебе в аду!

Золотозубый подскочил к нему и с размаху ударил сапогом в бок, затем повернулся к Лукерье. Та попятилась и вскрикнула:

— Все расскажу! Только не бей меня, сироту!

— Ты-то, сирота, откуда можешь что-то знать? — недоверчиво проговорил золотозубый. — Непохожа ты на господскую прислугу! Ты небось при кухне хлопотала?

— При кухне, дяденька, при кухне! Кухарка я ихняя!

— А ежели ты при кухне — какой от тебя прок? Что ты знать можешь, кроме капусты?

— А я подсмотрела, дяденька, когда они золото прятали... все как есть подсмотрела...

— Ах ты, какая сметливая! — золотозубый довольно осклабился. — Ну, коли подсмотрела — показывай...

Лукерья закивала, пошла вверх по лестнице. Золотозубый двинулся за ней, за ним потянулась вся шайка.

Пройдя по коридору бельэтажа, Лукерья открыла неприметную дверцу, за которой обнаружилась деревянная лесенка, ведущая на третий этаж.

— Вот тут они все и спрятали!

— Тут? — золотозубый недоверчиво огляделся. — Где это тут? Тут и прятать-то негде!

— А вот в ступеньках и спрятали!

— Вот как! — золотозубый вытащил из кармана финский нож, постучал его рукояткой по одной ступени, по другой. Услышав гулкий пустой звук, подцепил лезвием деревянную плашку, отковырнул. Под доской засверкало, Лукерья от этого блеска даже зажмурилась.

Под вынутой доской грудой лежали браслеты, ожерелья, перстни, серьги, усыпанные бриллиантами, изумрудами, жемчугами, драгоценные эмалевые табакерки и прочее.

— Ох ты, мать твою! — выдохнул кто-то из дезертиров.

Золотозубый простукал другую ступеньку, сковырнул с нее доску — там тоже были навалены сокровища.

Вся шайка метнулась вперед, бандиты отталкивали друг друга, полными горстями хватали драгоценности. Двое уже сцепились из-за особенно красивого ожерелья, полилась кровь.

— Ша! — гаркнул матрос и выстрелил в потолок из маузера. В тесном помещении звук выстрела прозвучал оглушительно.

Шайка затихла, попятившись.

— Ша! Полундра! Малый назад! Никто ничего не хватает! Сейчас мы все соберем и потом честно поделим. Сейчас не старые порядки, как я сказал, так и будет!

Бандиты недовольно ворчали, но у матроса, должно быть, имелись методы убеждения, и все нехотя отступили, побросав в общий мешок свою добычу.

— Погоди, Колодный! — подал голос золотозубый тип, простукивавший остальные ступеньки. — Мне тут одна вещичка нужна. Веер… знаешь, такой, каким буржуйки обмахиваются? Если кто его нашел — пускай мне отдадут.

— Золотой, что ли?

— Да нет, не золотой. Костяной или бумажный.

— А на черта он тебе нужен?

— А тебе не все ли равно?

— Да мне-то, в общем, без разницы. Сейчас не прежние порядки, каждый волен делать что хочет. Только товарищей своих обманывать нельзя, это понятно? — последние слова матрос проговорил, пристально уставившись на приземистого мужичка в рваном полушубке. — Тебе это понятно, Ефим?

— Чего же тут непонятного? — забубнил мужичок, льстиво и хитро поглядывая на матроса. — Товарищев обманывать — это последнее дело, самое последнее…

— Вот именно что последнее! — матрос неожиданно выбросил руку вперед и запустил ее в прореху полушубка.

— Это ты чего, братишечка?! — взвизгнул Ефим и попытался увернуться, но матрос уже вытащил из прорехи золотой нательный крест, усыпанный сверкающими камнями.

— Что же ты, Ефим? — укоризненно проговорил матрос. — Сам только что сказал, что товарищей обманывать — это последнее дело, а сам эту бирюльку припрятал? Какой же ты после этого товарищ?

— Прости меня, братишка! — заныл Ефим, глядя на матроса, как нашкодившая собачонка. — Бес попутал... как увидел я этот крестик — так прямо душа у меня заныла... очень мне захотелось этот крестик заполучить...

— Душа, говоришь, заныла? — прохрипел матрос. — Ну, Ефим, что мне с тобой делать? Сам ты сказал, что обманывать товарищей последнее дело, стало быть, и будет это самым твоим последним делом! Опосля него уже ничего у тебя не будет!

Он выхватил из кобуры огромный маузер, навел его на Ефима, взвел курок.

— Не надо, братишечка! — взвыл Ефим. — Христом Богом прошу, не надо... у меня в деревне детишки, мал мала меньше... и родителев престарелых кормить надо... кто об них кроме меня позаботится... пожалей меня, братишечка...

— Какой я тебе братишка? Генерал Духонин тебе братишка, так что сей же час ты к нему в штаб и отправишься! А насчет детишек и родителей — все ты врешь!

Матрос нажал на спуск, и снова прогремел выстрел.

Во лбу Ефима появился третий глаз — черный, страшный, зияющий.

Ефим открыл рот, словно хотел еще что-то сказать в свое оправдание, но не успел, захрипел, повалился на пол, еще раз дернулся и застыл.

Даже после смерти на его лице осталось хитрое и льстивое выражение.

Матрос обвел мрачным взглядом свою шайку и прохрипел страшным голосом:

— Ну что, никто больше ничего не припрятал? Никто больше в штаб к Духонину не хочет?

Шайка молчала.

Молчали и господские слуги. Молчали в ужасе, не зная, что ждет их, если страшный матрос даже своего со-общника не пожалел.

Только мальчик Кузька, воспитывавшийся при кухне, не выдержал, спросил шепотом у лакея Никифора:

— Дядя Никифор, а что это он все какого-то генерала Духонина поминает?

— Тихо ты… — шикнул на него Никифор. — Молчи, а то как бы чего не вышло…

— Дядя Никифор, ну что за генерал такой?

— Да умолкни, наконец! Этот Духонин… его солдатня на штыки сбросила, вот с тех пор, когда они грозятся кого убить, говорят: пошлем в штаб к Духонину.

Кузька охнул от страха и замолчал.

Золотозубый тип тем временем простукивал остальные ступеньки, но больше никакого тайника не нашел. Матрос прихватил мешок с изъятыми драгоценностями и наконец со всей своей шайкой покинул особняк.

Слуги крестились, переводя дыхание.

Никифор с двумя другими лакеями кое-как заколотил разбитую входную дверь, запер ее на все засовы.

Лукерья, жалостливо и виновато всхлипывая, подошла к лежащему у входа Григорию, опустилась возле него на колени, перекрестила.

Тот вдруг вздохнул и пошевелился.

— Ох! — Лукерья всплеснула руками. — Никак жив Григорий Пантелеймонович! Надо старого Никодима позвать, он ему травки заварит, у него травка особенная есть, глядишь, и оклемается наш голубчик…

Встала Надежда рано, потому что нужно было как следует поработать над образом. В кафе рядом с офисом бывшего небось сотрудники ходят, и официантки всё про всех знают. Бабы на работе станут шушукаться, перемывать косточки — дескать, с кем это Любимов в кафе сидит, что за швабра такая? А если прийти в приличном виде, то все подумают, что разговор у них сугубо деловой.

Надежда тщательно уложила волосы и неторопливо наложила макияж, после чего критически оглядела себя в зеркале и открыла платяной шкаф. Выбор пал на строгий серый костюм, чтобы бывший сразу понял: она пришла не чаи с ним распивать. Завтрак будет исключительно деловой. Однако в последний момент дала легкую слабину и вместо официальной белой блузки надела под костюм довольно открытый топ.

Кафе оказалось довольно большим сетевым рестораном, который работал аж с семи тридцати. Надежда оказалась на месте ровно в четверть десятого и ждала всего две минуты. Бывший явился как штык, и она вспомнила, что даже в юности он никогда не опаздывал, этого у него не отнимешь.

Надежда вслед за ним вошла в большой зал ресторана. Посетителей было немного, больше половины столиков пустовало, понятное дело — рано еще, вот на ланч набегут. Ресторан был оформлен в стиле швейцарского охотничьего шале. По стенам развешаны оленьи и лосиные рога, клыкастые кабаньи головы (наверняка бутафорские, решила Надежда). Даже люстры были украшены ветвистыми рогами, которые приглушали и без того неяркое освещение. Надежда подумала, что такое обилие рогов кем-то может быть воспринято двусмысленно. Но раз дизайнер так решил, ей-то что до этого...

В дверях к ним подошла невысокая, тощенькая девушка-метрдотель, похожая на недокормленного ребенка. На ней было короткое платье из серой невыразительной ткани и черные лакированные ботинки на низком каблуке. Во времена молодости Надежды такая ткань называлась «маргарин с лавсаном», а подобные ботинки считались исключительно мужской обувью. Она подумала, что этой низкорослой девчушке больше подошли бы туфли на каблуке — в этих ботинках она казалась совсем невзрачной, но Надежда тотчас пресекла эти несвоевременные мысли — какое ей дело до посторонней девицы?

Девица, однако, при виде бывшего оживилась и, демонстративно игнорируя Надежду, проговорила:

— Алексей Иванович, ваш обычный столик свободен!

Бывший от такого внимания к своей особе расцвел и распустил хвост, как павлин, послал девице ответную улыбку и направился к угловому столику, с гордостью сообщив Надежде:

— Меня здесь знают. Я тут почти каждый день обедаю. Видишь, даже столик у меня постоянный.

— А жена тебя что, не кормит? — не удержалась Надежда от шпильки, на что бывший ничего не ответил, только посмотрел мрачно.

Он сел спиной к залу. Надежда устроилась напротив. Девица положила перед ними книжечки меню, но разговаривала исключительно с бывшим, продолжая игнорировать Надежду:

— Вам кофе сразу принести, как обычно?

— Принести! — благосклонно ответил бывший, но все же вспомнил о своей спутнице и повернулся к Надежде: — Надя, ты кофе будешь?

— Если и буду, то в самом конце, — ответила Надежда, с трудом сдержав раздражение.

Как будто было мало хамской девицы, ей еще и немилосердно дуло в спину из кондиционера. Вообще, кому пришло в голову включать кондиционер зимой? Не иначе они это нарочно делают!

Она попробовала передвинуться, но на новом месте дуло еще сильнее, и не в спину, а в шею. Шея с некоторого времени доставляла Надежде много неприятностей. Стоило зимой или осенью выйти из дома без шарфа или же в электричке сесть спиной к окну — и вот пожалуйста, проснувшись на следующее утро, она не могла повернуть голову, и ее состояние можно было охарактеризовать словами популярной когда-то песни: «Что ж ты, милая, смотришь искоса, низко голову наклоня...» Дня три приходилось так мучиться, растирать шею, завязывать ее пуховым платком, мазать змеиным ядом и другими неприятными субстанциями, потом все проходило до следующего раза. Так что Надежда тщательно следила, чтобы не попадать под сквозняки. Вот как сейчас.

Надежда ерзала на месте и в конце концов не выдержала. Что за дела, в самом деле? Почему она должна рисковать своим здоровьем? Так и простудиться недолго, а то и миозит какой-нибудь заработать!

— Послушай, давай пересядем! — обратилась она к бывшему.

— Чего это? — он уставился на нее как баран на новые ворота. — Я здесь всегда сижу!

— Рада за тебя, но мне здесь холодно. Кондиционер дует прямо в шею.

— Ну ты даешь! — надулся бывший. — А я уж и забыл, какая ты привередливая! Все время тебе что-то мешает! Все время тебя что-то не устраивает! Всегда ты чем-то недовольна!

Это была вопиющая ложь, но в данном случае Надежда не стала заедаться, собственная шея была ей дороже.

— Как хочешь, но я пересяду! Не хватало мне еще потом три дня ходить скособочившись!

— Ну ладно, — неожиданно буркнул бывший, и они перебрались за соседний столик.

Худосочная девица пошла за ними и молча переложила меню.

— Ну что, здесь тебе не дует? — осведомился бывший, не скрывая раздражения и насмешки.

Девица тоже еле слышно фыркнула. Виды она на бывшего имеет, что ли? Да кому он нужен-то! Небогатый, немолодой, да еще и женатый! Не может быть!

— Здесь не дует, — ответила Надежда невозмутимо, делая вид, что ничего не замечает.

Тут к ним подошла официантка, поставила перед Алексеем крохотную чашечку кофе и спросила, готовы ли они сделать заказ.

— Дайте нам еще несколько минут! — ответила Надежда.

Официантка развернулась и пошла прочь, а Надежда принялась листать меню по второму разу.

— Долго ты еще будешь выбирать? — недовольно проворчал Алексей. — До чего ты медлительная! Я же все-таки на работе... мне сильно опаздывать нельзя, я там хоть и начальник, но не главный!

В это мгновение где-то наверху раздался громкий скрип, потом треск, как будто чьи-то сильные руки разрывали простыню, а затем огромный светильник, украшенный ветвистыми лосиными рогами, с грохотом рухнул на соседний стол. Ножки стола подломились, как спички, и все вместе обвалилось на пол.

Надежда ахнула. Бывший, который сидел спиной к эпицентру катастрофы, подскочил и развернулся.

— Опаньки! — выдохнул он, разглядывая обломки. В его взгляде и голосе сквозило невольное восхищение, сродни тому, которое возникает при виде разбушевавшейся стихии.

Надежда тоже в ужасе уставилась на то, что совсем недавно было столом. И тут до нее дошло, что тяжеленный светильник упал на тот самый стол, за которым они только что сидели, а острый конец лосиного рога торчал из стола как раз там, где сидел бывший муж.

— А если бы мы не пересели... — начала Надежда.

Алексей недоуменно взглянул на нее:

— О чем это ты?

— О том, что если бы мы не пересели — сейчас были бы мертвы! А ты еще не хотел...

— Ну ты даешь, Надежда! Умеешь все повернуть в свою пользу!

— А что, разве я не права?

— Права, права! — поморщился бывший. — Я об этом и говорю — ты всегда права! Всю жизнь так было, вечно ты на своем настоять хотела, оттого мы и развелись!

Снова это была вопиющая, возмутительная, наглая ложь. Это он вечно орал и настаивал на своем, да еще свекровь... уж не тем будь помянута.

К ним уже сбежались официантки, метрдотель и даже кто-то из поваров. Последним подошел администратор, толстый мужик в твидовом пиджаке. Убедившись, что никто не пострадал, он проговорил извиняющимся тоном:

— Пересядьте, пожалуйста, в другой зал, пока здесь уберут.

— Какой зал? — завелся бывший. — Мы сейчас же уйдем! И ноги моей у вас больше не будет! — заорал он.

— Я вас понимаю! — примирительным тоном проговорил администратор. — Но не торопитесь принимать решение! Сегодня все, что вы закажете, за счет заведения...

— Все? — переспросил бывший, и глаза его загорелись. — Ну ладно! Надя, ты как? Пойдем в другой зал?

Надежда чувствовала себя как-то странно. Все звуки доносились до нее как сквозь вату или слой воды — приглушенно и замедленно. В голове же вертелась одна и та же мысль: если бы они не пересели, то сейчас превратились бы в груду окровавленных костей...

А потом эту мысль сменила другая. В этом ресторане было много светильников: все одинаковые, большие и тяжелые, но обрушился именно тот, под которым обычно сидел бывший. Так может, это не случайно? Может, кто-то хотел с ним расправиться?

Но почему? Кому он мог мешать? Кому и чем? А вдруг все дело в том, что он хотел ей рассказать?

— Ну, так что, пойдем в другой зал? — нетерпеливо повторил бывший. — Не тяни время.

— Пойдем! — согласилась Надежда.

Второй зал оказался меньше и уютнее первого. Не было тут на стенах лосиных рогов и кабаньих голов, и люстры были самые обычные, недорогие. Кондиционер не работал. Подошедшая официантка приняла у них заказ. Выглядела она плохо, видно, здорово испугалась. Надежда посмотрела наверх. Люстра была, конечно, самая обычная, но если упадет прямо на голову, то мало тоже не покажется.

— Девушка, только мы пересядем вон туда, на диванчик в угол! — крикнула она вслед официантке.

Та только равнодушно пожала плечами. Ей было все равно.

— Ходим и ходим, — ворчал бывший, — как цыгане просто.

— При чем тут цыгане? — удивилась Надежда. — Цыгане по ресторанам не ходят, они на природе завтракают. Представь, на берегу реки... или ручья...

Бледная официантка принесла две тарелки с омлетом. Руки у нее дрожали.

— Ничего, — сказала Надежда, — главное, что никто не пострадал.

Девушка слабо улыбнулась.

Омлет был хорош: пышная шапка, а рядом грибы в сливочном соусе, маслины, маринованные огурчики и еще много всего. Надежда намазала маслом теплую булочку и в упор посмотрела на бывшего.

— А ты что не ешь? Остынет ведь.

— Аппетита нет, — буркнул он.

— Да ладно, — усмехнулась Надежда, — ни в жизнь не поверю, что какой-то светильник, хоть и с рогами, может тебе аппетит испортить! Поесть ты всегда был не дурак.

— Ну вот чего тебе от меня надо? — с тоской протянул бывший. — Вон баба с моей работы, теперь еще разговоры пойдут...

— Подумаешь, разговоры! Скажешь жене как есть, что приходила твоя бывшая, то есть я, обсуждали, что внучке на двенадцать лет подарить. Кстати, у нее и правда день рождения скоро. Так что кушай, дорогой, не капризничай, я этого не люблю, — Надежда протянула ему булочку. — И за едой расскажи мне, что ты знаешь про ту разговорчивую тетю в платье в цветочек, которая нашу Галку в камеру посадила. Потому что я теперь точно знаю, что Галка ту блондинку не убивала. И муж ее Витя тоже этого не делал. И еще один человек, который там был, тоже блондинку не убивал. Я уверена.

— Ты что, и правда думаешь, это Нинка ее укокошила? Да зачем ей? С какого перепугу?

— Слушай, давай подробно, — приказала Надежда. — Чем скорее начнешь, тем раньше закончишь. — Она строго взглянула на бывшего и добавила: — И уразумей ты, наконец, что дело серьезное. Потому что хоть ты там, в Ленькином ресторане, и прятался за меня, что-то мне подсказывает, что эта, как ты говоришь, Нинка тебя тоже узнала. Женщины, они, знаешь, такие вещи первыми просекают. А у нее вообще глаз — алмаз. И ты только представь, что было бы, если бы не моя шея, которая не терпит сквозняков. Если бы мы за тем столиком остались, то сейчас нас бы с пола собирали по кусочкам.

— Ты серьезно? — бывший даже вилку бросил. — Ну, Надежда, у тебя и фантазии! Кому мы нужны-то?

— Трудно с тобой, — вздохнула Надежда. — Ничего объяснять не стану, все равно не поверишь, так что давай рассказывай! Да я пойду, мне, знаешь ли, время тоже дорого. Когда ты с этой Нинкой встречался, где и что там произошло?

— Ну... — неохотно начал бывший, — было это примерно лет пять или шесть назад. Работал я в одной фирмочке — так, ничего особенного, но деньги платили неплохие. А эта... Нина

Петровна... она бухгалтером у нас работала. Пришла недавно, я с ней напрямую не сталкивался, только бабы говорили, что стерва. Ну, это их разборки. В общем, коллектив небольшой, сплоченный, праздники вместе отмечали, летом корпоративы...

— Угу... — многозначительно произнесла Надежда, подумав, что знает она эти корпоративы, особенно летом.

— Ну да, ну да, — бывший схватил перечницу и остервенело посыпал омлет. — Ну, крутили на работе романчики. Как без этого... Там такая атмосфера была... легкая, что ли. Свободная. Шеф сам по этому делу был не промах, ну и нам, что называется, жить давал. У него-то постоянная любовь была с секретаршей, они и не скрывались. А сама знаешь, каков поп, таков и приход, так что мы, мужики, тоже не терялись. Ну и... в общем... я тоже... с одной там... — Он потер переносицу, вздохнул и продолжил: — Ничего серьезного — я женат, она замужем, так, легкий перепихон, когда удастся, да и хорошо.

Надежду передернуло от этих слов, но она сделала над собой усилие, чтобы выглядеть невозмутимой.

— Что, не нравится тебе? — усмехнулся бывший. — В душу лезешь, просишь подробности, а сама кривишься. Ревнуешь, что ли?

— Слушай, да мне по барабану твои амуры на работе, я ведь тебе теперь не жена и не теща!

— Да уж, теща... — бывший стушевался на глазах, — до сих пор твою мамашу забыть не могу.

— Да что ты врешь! — Надежда вышла из себя. — Моя мать к тебе прекрасно относилась! А вот твоя... извини, — глухо сказала она, — извини, я знаю, что она...

— Уже пять лет прошло. И Аленку она любила, — с вызовом сказал бывший.

Помолчали.

— Ты не отвлекайся, ты про эту Нину рассказывай, — проронила наконец Надежда.

— А что про нее? Сама она ни с кем ничего, с бабами тоже особой дружбы не водила, а через пару месяцев вдруг такое случилось... Шефа нашего убили!

— Да что ты! — ахнула Надежда. — А как же?

— Да вот так, как слышишь. Зарезала его любовница, эта самая секретарша Маринка.

— С чего вдруг? Вроде ты говорил, у них любовь была.

— А я знаю? — огрызнулся бывший. — Там такое было... В общем, нашла его уборщица. Мы все в тот день с работы ушли, а они остались, ну, часто так делали, чтобы на свободе, сама понимаешь, что сделать... А уборщица у нас приходила позже. Офис располагался в бизнес-центре, уборщица общая, так шеф с ней договорился, чтобы она наш офис позже всех убирала, ну, чтобы у них время было...

— Как все это противно... — скривилась Надежда. — Что же он, жлоб, квартиру, что ли, снять не мог?

— А зачем? — хохотнул бывший. — Зачем деньги тратить, когда и так все можно сделать, без отрыва от работы? — Он наткнулся на взгляд Надежды и замолчал.

— Дальше что было?

— Значит, приходит уборщица в положенное время в офис и видит такую картину. Шеф лежит мертвый в луже крови, а рядом Маринка без сознания, и в руке у нее ножницы. Тоже все в крови. Ножницами она его зарезала.

— Ножницами? — насторожилась Надежда.

— Ну да, обычными канцелярскими ножницами. Они у нее в столе всегда и лежали.

— Вот как... И что потом?

— Ну, уборщица крик подняла, охрана центра прибежала, вызвали полицию, потом «скорую», те Маринку в чувство привели, а она ничего не помнит. Говорит, когда они... ну, это самое... вышла она в туалет, а как вернулась — шеф уже лежит зарезанный. Она над ним наклонилась — и вроде как накрыло ее старым ватным одеялом, а больше она ничего не помнит.

— Тебе это ничего не напоминает? — медленно проговорила Надежда.

— А? Да нет. Хотя... ты хочешь сказать, что похоже на то, что в ресторане у Леньки было? Да черт их там разберет! — рассердился бывший. — Что, у меня дел нет, чтобы над этим голову ломать? В общем, полиция толком и не расследовала это дело, сказали, что все ясно. Поругались на любовной почве, она его и пырнула в аффекте. А потом увидела, что натворила, да и сомлела от страха. Однако нас всех допрашивали, кто когда ушел да кто что видел. Маринку арестовали, а мы все, конечно, не работаем, а только это дело обсуждаем. А подружка ее, Маринки-то, вдруг возьми и ляпни, что та беременная была. И якобы с шефом у них уже договоренность была, что он с женой разведется и на ней, Маринке, женится, раз ребенок будет. Потому что там у него детей не было. Сказала она про это следователю, а тот прямо обрадовался. Это, говорит, просто классический случай. Он ее продинамил, жениться отказался, она его и прирезала. Мужик, конечно, по-свински с ней поступил, но за это не убивают. Однако проверили — точно девка была беременна. А наши стали судить да рядить, поминутно проверять, кто когда ушел. И вот про Нинку эту никто толком сказать не мог, когда она ушла. Внизу на вахте отмечают только посторонних, а у кого постоянный пропуск — входи-выходи, когда хочешь. И только было мы задумываться начали, как вдруг все в полной заднице оказались. Потому что в один вечер кто-то позвонил нашим половинам, да и рассказал про наши приключения. Всё сообщили — кто, с кем, как долго и так далее.

— И после этого вам стало не до пустых разговоров, вам нужно было себя спасать, перед женами да мужьями оправдываться... — закончила Надежда.

— Точно! Ну, у меня-то скандала большого не случилось, потому как мать тогда заболела, не до того было. А потом она умерла, так что все это на задний план отошло. Спасла мать мою семейную жизнь, вот что. А у моей... ну, в общем, у нее все плохо закончилось. Муж ее бросил, она переживала очень, мне звонила, но... — бывший махнул рукой и отвернулся. — А потом я уволился, жена такое условие поставила. Да я и сам хотел, потому как фирма развалилась — шефа-то убили. Фирма по наследству досталась его вдове, она ее и продала. Только я этого уже не застал. И Нинка-бухгалтерша тоже уволилась, еще раньше меня.

— А секретаршу так и осудили?

— Ну да, только, собственно, до суда она и не дожила. Не то руки на себя в тюрьме наложила, не то родами умерла, я точно не знаю, бабы что-то болтали. Вот такая вот история. Так что сама понимаешь, как я рад был эту Нинку в ресторане встретить.

— Да уж... — Надежда махнула официантке, чтобы принесла кофе. — А скажи, пожалуйста, полное имя этой Нины? Если не забыл конечно.

— Такое забудешь, как же... — вздохнул бывший. — Зовут ее не Нина, а Нинель. Нинель Петровна Курочкина.

— Ясно... — Надежда записала имя на салфетке. — Ну, спасибо тебе за беседу, не стану больше задерживать.

Бывший тут же допил кофе и исчез. Надежда забеспокоилась было, не придется ли ей платить за два завтрака, но официантка уверила ее, что все в порядке, завтрак за счет заведения.

Надежда посидела еще немного, вырабатывая план действий, и решила, что ей срочно нужен компьютерный умелец Вадим.

Надежда пришла в ресторан Лени Белугина, как к себе домой. Поздоровалась с новым гардеробщиком и прямиком направилась к Вадиму.

— Опять вы? — усмехнулся тот, оторвавшись от экрана компьютера. — Что вам понадобилось на этот раз?

— Я тоже рада вас видеть! — ответила Надежда. — Можно сказать, соскучилась...

— Давайте без предисловий, а то у меня работы много...

— Само собой. Вадим, пробейте, пожалуйста, по своей замечательной базе одного человека. Нинель Петровну Курочкину.

— Для вас что угодно! — Вадим подобрел и пробежал пальцами по клавиатуре, бормоча под нос: — Сколько же их, этих Курочкиных... хорошо, что имя не самое распространенное... Нинель Ивановна... Нинель Степановна... вот она — Нинель Петровна Курочкина! Вы ей что, цветы отнести хотите?

— Цветы? — удивленно переспросила Надежда. — Какие цветы? Почему цветы? Куда цветы?

— Известно куда — на могилу.

— Так она что, умерла?

— Так точно, умерла!

Надежда почувствовала острое разочарование. Выходит, все ее соображения не имеют под собой почвы. Женщина, про которую рассказал ей бывший, умерла после тех событий. Да, но он узнал ее в ресторане. Может быть, просто обознался? В конце концов, он ее давно не видел... хотя на него это непохоже... Вообще-то, если честно, то бывший всегда был мужчиной хватким, в работе соображал хорошо, не ленился. Характер трудный, ну так поэтому они и развелись. Так что если он говорит, что эту тетю знал, то так оно и есть.

— Точно умерла, — повторил Вадим, листая компьютерные страницы. — Десять лет назад...

— Сколько? — удивленно переспросила Надежда. — Десять? Вы ничего не путаете?

— Обижаете, Надежда Николаевна! Я мог бы что-то перепутать, но компьютер — никогда! Он этого просто не умеет. И эта база данных очень точная. Если здесь сказано, что ваша Курочкина умерла десять лет назад, значит, так оно и есть.

Теперь Надежда вообще ничего не понимала. Если Нинель Курочкина умерла десять лет назад, как она могла пять лет назад работать в одной фирме с бывшим?

— А может такое быть, что есть еще один человек с точно такими же данными — еще одна Нинель Петровна Курочкина?

— Вообще-то нет. Эта база данных утверждает, что в Российской Федерации нет второго такого человека. Тем более что эта Курочкина жила в нашем городе.

— Ага!.. — Глаза Надежды загорелись, она почувствовала азарт охоты.

Наконец у нее сложилось логичное объяснение этой ситуации. Десять лет назад настоящая Нинель Курочкина умерла. Другая женщина — Надежда назвала ее Нинель Вторая — каким-то образом завладела ее паспортом, и по этому паспорту устроилась в бухгалтерию той фирмы, где работал бывший. Все же в отделе кадров работают опытные люди, и соваться к ним с фальшивым документом она не рискнула. А зачем она это сделала? Задумала какое-то мошенничество? Вряд ли. Бывший сказал, что фирмочка была некрупная, больших денег там сроду не водилось. Это же не пирамида какая-нибудь, не к ночи будь помянута...

Стало быть, дело у нее было самое житейское. И если сопоставить факты того убийства, которое случилось пять лет назад, и нынешнего, то получается страшная картина. Неужели ее наняли для убийства? А что? Тогда полиция и разбираться не стала, подозреваемая в наличии, тем более что сама ничего не помнила. А мотив у нее был, и еще какой. То есть Нинель

Вторая провернула темное дело и скрылась. И после этого Нинель Курочкина умерла второй раз, уже окончательно. Концы, как говорится, в воду. Даже если бы и захотели ее найти — фиг вам, нет такой женщины, умерла давно!

Значит... значит, в день убийства в ресторане Лени Белугина она должна была действовать под другой фамилией. Чтобы ничто не связывало ее с той, прежней, историей.

— Вадим, золотко, — проговорила Надежда умоляющим, заискивающим непривычно робким голосом, — сделайте для меня еще кое-что.

— По вашей интонации, — усмехнулся Вадим, — я чувствую, что на этот раз будет что-то посерьезнее!

— Да... Вы не могли бы выяснить фамилию одной из свидетельниц, которые были в ресторане в день убийства? Такая не в меру разговорчивая женщина в цветастом платье, которая Галину с потрохами сдала.

— То есть... то есть вы хотите, чтобы я влез в полицейскую систему? — возмущенно воскликнул Вадим.

— Вообще-то, именно этого я и хочу... — покаянным тоном ответила Надежда.

— Да вы понимаете, что это серьезное правонарушение? Вы понимаете, что у меня из-за этого могут быть большие неприятности?

— Ох, понимаю! — Надежда тяжело вздохнула. — Значит, нет? Значит, отказываетесь?

— Разве я сказал — нет? — Вадим потер переносицу. — Вообще-то, мне самому интересно. С тех пор, как мы с вами познакомились, моя жизнь стала ярче. Я и не догадывался, как меня тянет ко всяким авантюрам. А ведь всегда здорово узнать о себе что-то новое.

— А что, это трудно? Я имею в виду — влезть в их систему?

— Да нет, не трудно. У них почти никакой защиты. В эту систему даже ребенок сможет войти.

— Так давайте уже, не ломайтесь! — прикрикнула Надежда.

Что она, в самом деле, расстилается перед этим мальчишкой, как будто это ей лично надо.

Вадим снова застучал по клавиатуре — и через несколько минут издал победный вопль:

— Вот она, ваша болтливая тетя! Записывайте — Валентина Павловна Журова!

— Спасибо, — Надежда сложила руки в молитвенном жесте. — Просто не знаю, как вас благодарить!

— Никак. Я же говорю, мне это самому интересно. А телефон ее вам нужен?

— Конечно, нужен.

— Ну так записывайте...

Покинув ресторан, Надежда в глубокой задумчивости шла по улице.

Благодаря Вадиму она узнала имя подозрительной особы в цветастом платье, даже узнала ее домашний телефон. Надежде ужасно хотелось сделать следующий шаг и воспользоваться полученной информацией. Произвести, так сказать, разведку боем. И для начала позвонить по добытому телефону... Но эта особа, выступающая сейчас под именем Валентины Павловны Журовой, наверняка очень опасна. Надежда вспомнила, каким голосом она говорила в Доме актера с неизвестным мужчиной. Кстати, его голос Надежде тоже был знаком. Но об этом после, сейчас следовало заняться этой самой Журовой, или кем она там была на самом деле.

Со своего телефона ей ни в коем случае звонить нельзя, она запросто выяснит, кто звонил, и нанесет ответный удар... Надежда представила, как особа из ресторана тянется к ее горлу длинными пальцами с наманикюренными ногтями...

Надежда взглянула на собственные ногти — и расстроилась. Она так увлеклась своим расследованием, что запустила себя! Ей давно пора было сделать маникюр! Ну и еще кое-что...

Через полчаса Надежда вошла в знакомый салон красоты.

Ее маникюрша Верочка выглянула в коридор:

— Надежда Николаевна, что же вы не позвонили? У меня сейчас другая клиентка.

— Да у меня свободное время появилось, я и решила зайти.

— Я минут через двадцать освобожусь. Подождете?

— Конечно, подожду.

Верочка исчезла, зато к Надежде вышла администратор Светлана.

— Надежда Николаевна, хотите чаю или кофе?

— Нет, спасибо, ничего не хочу. А можно я вашим телефоном воспользуюсь? Мой разрядился.

— Пожалуйста, — Светлана подала Надежде телефон салона и вернулась к себе.

Надежда набрала номер, который нашел для нее Вадим. Из трубки неслись длинные гудки. Надежда уже хотела сдаться и нажать отбой, но тут раздался щелчок, и хриплый нетрезвый голос произнес:

— Але-у! Это хто? Это ты, что ли, Люся?

Да, голос принадлежал определенно нетрезвому человеку, а ведь еще первая половина дня... И когда он успел набраться?

— Нет, это не Люся! — отчеканила Надежда строгим официальным голосом. — Можно попросить гражданку Журову? Валентину Павловну Журову?

— Люсь, да перестань прикалываться! Я же тебя узнал. Люсинда, ты чего мне звонишь-то? Я думал, ты после того раза мне больше не будешь звонить... думал, ты сильно обиделась... но ты на меня, Люсинда, не обижайся. Ты не думай, что я от тебя убежать хотел, я тогда просто знакомого встретил...

— Говорят вам — это никакая не Люся! — раздраженно проговорила Надежда. — Мне нужна Журова.

— А ее нет, — дурашливым голосом протянул собеседник. — Я за нее! Это точно не Люся?

— Говорят вам — нет! А вы кто такой?

— Вот интересно! Она мне звонит и спрашивает, кто я! Это ты скажи, кто такая?

— Гражданин, прекратите безобразничать! Я при исполнении! — Надежда добавила в голос вселенского холода. — Инспектор Гусенкова, налоговое управление, четвертый отдел! А вы кто такой?

— Лаптев я... Лаптев Анатолий Иванович... — испуганно проговорил мужчина.

— Говорите, гражданин Лаптев, где Журова? И время не тяните, у меня время дорогое!

— А я знаю? — собеседник Надежды резко поскучнел. — Я у нее, это самое, квартиру снимаю. А вам она зачем нужна? По какому, это самое, вопросу?

— По вопросу злостной неуплаты налогов! Говорят же, из налогового управления я! Так где Журова?

— Из налогового? — испуганно протянул мужчина. — А я ничего не знаю... говорю же — квартиру снимаю у нее, это самое...

— Ах, снимаете? А договор аренды или найма жилой площади у вас имеется?

— Какой такой договор? Не знаю никакого договора! Я деньги плачу, и все...

— А вы знаете, что наем жилплощади без договора — это административно наказуемое правонарушение? Вы знаете, что за это полагается большой денежный штраф? А при повторном нарушении — вплоть до лишения свободы!

— Ничего я не знаю... какой штраф? Какое лишение? Чего вам от меня нужно? — мужчина явно впал в панику.

— Я вам ясно сказала — мне нужно связаться с гражданкой Журовой. Где мне ее найти?

— Известно где, — выпалил мужчина. — В скворечнике...

— Что? — переспросила Надежда. — Мужчина, вы что, надо мной издеваетесь? В каком еще скворечнике? Она не птица, чтобы жить в скворечнике!

— Да не в том скворечнике, где птицы! Она в том «скворечнике», который на Удельной!

Только тут до Надежды дошло, что ее собеседник имеет в виду психиатрическую больницу имени Скворцова-Степанова, которую в народе действительно называют «скворечником».

— В психушке, значит? — уточнила она на всякий случай.

— Ну да, я вам про это уже сколько времени толкую! Она там почти все время, то по полгода не вылезает, то по году.

— А как же вы с ней связываетесь?

— А зачем мне связываться? Мне это ни к чему. Мне и без нее есть с кем связываться. Я ей за полгода вперед заплатил и живу...

Надежда поняла, что неуловимая особа, в прошлый раз воспользовавшаяся документами умершей женщины, на этот раз воспользовалась паспортом душевнобольной Валентины Журовой. А что? Если проверят — все в ажуре, с такими документами и полиция ничего не поймет. Ловкая бабенка... Неужели она опять выйдет сухой из воды?

— Но если она душевнобольная, — выпалила Надежда, — у нее должен быть законный представитель! Доверенное лицо!

— Представитель? — переспросил мужчина, и по его неуверенному тону Надежда поняла, что попала в цель.

— Но вы, конечно, можете мне ничего не говорить, — продолжила она многозначительным тоном. — В отсутствие представителя вся ответственность ляжет на вас. Тогда я отправляю к вам опергруппу, и мы оформим арест...

— Какой арест? Какая опергруппа? — заверещал мужчина. — Я знать ничего не знаю! Вам, наверное, Татьяна нужна...

— Татьяна? — переспросила Надежда, насторожившись. — Какая Татьяна? Татьяна Степановна?

Она старалась не спугнуть собеседника и действовала осторожно, как рыбак, который боится спугнуть крупную рыбу. Надежда знала, что всегда лучше сделать вид, что ты все и так знаешь. Собеседник скорее поправит тебя, чем ответит на прямой вопрос.

Так оно и получилось.

— Почему Степановна? — перебил ее мужчина. — Не знаю я никакой Степановны! Татьяна Леонидовна... это которая без Валентины тут всем распоряжается... но только она не велела свой телефон никому давать!

— Ну, это, конечно, ваше право, — процедила Надежда холодно. — Значит, тогда я все же высылаю опергруппу. Только вы никуда не уходите, а то придется оформить попытку побега... а это уже совсем другая статья, и срок там другой грозит...

— Нет, не надо опергруппу! — сломался собеседник Надежды. — Не надо попытку побега! Не надо срок! Записывайте телефон Татьяны... — и он продиктовал номер мобильного телефона.

Едва из телефона понеслись сигналы отбоя, Толик Лаптев глубоко задумался, что было для него вообще-то нехарактерно.

Татьяна Леонидовна не велела ему давать кому-либо ее телефонный номер. Но эта суровая тетка из налогового управления так на него наехала, что Толик забыл о строгом предупреждении. Надо же — она даже грозила выслать к нему опергруппу!

А что, если она и правда осуществит свою угрозу? Толик очень боялся всяких государственных служб и старался избегать любых пересечений с ними.

Но Татьяна — тоже не подарок, она может на него здорово разозлиться. Может, лучше все же предупредить ее? Рассказать ей об этом звонке? Татьяна — женщина опытная, она может ему помочь.

Он еще немного поколебался — и все же набрал номер.

— Ты что звонишь? — проговорила Татьяна вместо приветствия. — Я же тебе говорила — звонить только в крайнем случае! В самом крайнем! Что-то случилось?

— Не то чтобы случилось... — промямлил Лаптев. — Тут такое дело... прямо не знаю...

— Да не тяни ты! Говори!

— Звонила мне какая-то женщина из налогового управления. Насчет незаконного проживания без договора какого-то. Опергруппу выслать грозилась, срок мне обещала за попытку побега...

— Что ты несешь? — перебила его Татьяна. — Какой договор? Какой побег? Какая опергруппа?

— А я знаю? Она мне пригрозила... строгая такая... ну, я и дал ей ваш телефон...

Собеседница Лаптева замолчала.

Она знала, что Толик Лаптев — человек, мягко говоря, небольшого ума, но тут он превзошел самого себя. Поверил в такую заведомую ерунду! Мало того что никакой чиновник из налогового управления не станет заниматься такой мелочью, как сдача квартиры без договора, но высылать по этому поводу опергруппу... нет, в такое не поверит даже ученик начальной школы! Да что там! Даже воспитанник младшей группы детского сада. Дети сейчас вообще удивительно подкованные в юридическом плане.

Так кто же звонил Толику и зачем?

На второй вопрос ответ напрашивался сам собой: неизвестная личность хотела узнать ее, Татьяны, телефон... то есть на самом деле она, конечно, вовсе не Татьяна, не хватало еще всяким Лаптевым называть свое настоящее имя, но это уже дело десятое.

Кто-то проявляет к ней подозрительный интерес. Это она уже давно почувствовала. Шестое чувство говорило, что кто-то за ней следит. Ну ничего, предупрежден — значит вооружен. Еще посмотрим, кто здесь дичь, а кто охотник.

— Анатолий, — проговорила женщина неправдоподобно спокойным голосом, — а давно звонила та налоговая чиновница?

— Да только что... может, минут пять прошло. Я вам сразу и перезвонил... думаю, надо предупредить Татьяну Леонидовну.

— Это ты молодец. А ты мне еще вот что скажи — с какого номера она звонила?

— Откуда я знаю? — растерянно протянул Лаптев. — Она мне этого не сказала.

— Анатолий, ты в каком веке живешь? В девятнадцатом? В восемнадцатом? Или вообще в каменном?

— Почему это? — Лаптев обиделся, он считал себя современным человеком. — Я живу в этом... как его... двадцать первом.

— А если в двадцать первом, ты должен уметь пользоваться телефоном.

— А я и умею...

— Непохоже! У тебя на телефонной трубке есть такие маленькие кнопочки. На одной нарисована трубка, на другой — книжка, на третьей — стрелочка...

— Ну, есть такие, — удивленно проговорил Лаптев, которому никогда и в голову не приходило разглядывать эти кнопки.

— Вот, нажми ту кнопку, где нарисована стрелочка, и на дисплее появится последний номер, с которого тебе звонили.

— Ой, правда! Появился!

— Ну вот, молодец! Продиктуй мне его...

Записав номер, женщина прервала разговор, достала из сумки другой мобильный телефон, нигде не засвеченный, и быстро набрала записанный номер.

Раздалось несколько длинных гудков, а потом приятный женский голос произнес:

— Вы позвонили в салон красоты «Далила». Сейчас мы не можем вам ответить, но если вы оставите сообщение, мы вам немедленно перезвоним! Ваш звонок очень важен для нас!

— Да, разбежалась, — пробормотала женщина, нажимая кнопку отбоя.

Незнакомка, которая звонила Лаптеву, действовала вполне разумно — позвонила не с собственного телефона, а из салона красоты. Но ее тоже можно перехитрить. Наверняка она пришла в этот салон не просто позвонить — это выглядело бы подозрительно, а сделать прическу или маникюр. А это требует времени. Так что, если поспешить, можно ее застать на месте. Хорошо, что у этого салона название не самое распространенное.

Женщина узнала в Интернете адрес салона «Далила» и стремглав помчалась туда на машине.

Верочка наконец освободилась и пригласила Надежду Николаевну в свой кабинетик. Надежда опустилась в кресло, прикрыла глаза и расслабилась. Верочка работала над ее руками и, не закрывая рта, болтала о чем-то своем.

Надежда не очень прислушивалась, думая о событиях последних дней — об убийстве в ресторане, о загадочной записке, о тайнах князей Юсуповых...

Верочкин монотонный голос, ее ласковые руки успокаивали, убаюкивали Надежду, ее начала уже обволакивать дремота, когда до нее дошли слова маникюрши:

— Тут подошла моя очередь. Подхожу я к гробу, только хотела к ее руке приложиться, а покойница вдруг села...

— Что? — удивленно переспросила Надежда, разом сбросив дремоту. — Какая покойница?

— Ну как же! Я вам про что рассказываю? У меня же свекровь умерла. Недели еще не прошло. А на похоронах, прямо в крематории, она вдруг села! Я сама чуть от страха концы не отдала! Лицо белое, глаза закрыты — возвращение живых трупов!

— Господи, какой ужас! — искренне воскликнула Надежда. — И что же оказалось? Неужто живую хоронили?

— Нет. Потом мне врач знакомый сказал, что бывают такие посмертные судороги. Очень редко, но случаются. Иногда покойники даже встают. Представляете? А я, честно говоря, думаю, что свекровь до того меня не любила, что и после смерти решила нервы подпортить.

— Да уж, вот это история! — протянула Надежда.

— Ну вот, руки ваши в порядке! — удовлетворенно проговорила Верочка, убирая инструменты.

Надежда поблагодарила ее и направилась к кассе.

Женщина, которую Толик Лаптев знал под именем Татьяны Леонидовны, подъехала к салону «Далила», припарковала машину и вошла в салон.

За стойкой худощавая брюнетка лет сорока вполголоса разговаривала по телефону. При виде посетительницы она прикрыла трубку ладонью и проговорила:

— Минутку! — Затем немного послушала и сказала в трубку: — Хорошо, могу вас записать на пятницу, на шестнадцать тридцать. — Положив трубку, она проговорила: — Что вы хотели?

— Могу я у вас прямо сейчас покраситься и причесаться?

— Прямо сейчас? Это вряд ли. Хотите, запишу вас на завтра.

— Нет, мне сегодня нужно, я на юбилей иду. Ничего нельзя придумать? Неужели в таком виде придется идти?

— Одну минутку... — брюнетка посмотрела на экран компьютера, потом на часы и неуверенно сказала: — Если вы подождете минут сорок, Ольга освободится... у нее потом окно, она вас успеет причесать.

— Подожду! — оживилась клиентка.

— Хотите чаю или кофе?

— Нет, спасибо, я пока журналы полистаю... — Женщина устроилась на розовом диванчике, взяла со стола глянцевый журнал и сделала вид, что читает его.

Прошло несколько минут, и из глубины салона появилась женщина средних лет. Фальшивая Татьяна Леонидовна подняла журнал, прикрыв им лицо, и поверх этого журнала пригляделась к клиентке салона. Ее лицо показалось ей знакомым... Ну да, она видела ее в том самом ресторане! В тот самый день, когда... нет, такого совпадения не может быть! Наверняка именно эта женщина звонила придурку Лаптеву. Наверняка это она что-то вынюхивает и выслеживает. Вопрос только — на кого она работает и что ей известно?

Клиентка достала из сумки кошелек, саму сумку положила на диван и направилась к кассе.

Фальшивая Татьяна как бы нечаянно уронила журнал, наклонилась якобы для того, чтобы его поднять, и быстрым, едва заметным движением подложила в сумку незнакомки крошечный пластмассовый кругляшок, в котором было спрятано хитрое электронное устройство.

После посещения салона красоты, настроение у Надежды, как обычно, поднялось. Хотя оно и раньше не падало. Расстраивалась и скучала Надежда Николаевна только в том случае, когда вокруг нее не происходило ничего криминального и не нужно было что-то расследовать и разгадывать сложные загадки.

Итак, она выяснила номер телефона некоей Татьяны Леонидовны, которая, надо полагать, и есть та самая неуловимая опасная особа. Да что там! Просто киллерша. Но как действовать дальше? Попытаться определить местонахождение этого телефона? Пожалуй, Вадим с этим не справится. И потом, если даже Надежда ее найдет, что она может с ней сделать? Схватить за руку и кричать: «Караул, помогите!»? Не прокатит, ее же еще и ненормальной посчитают. Можно, конечно, с помощью все того же адвоката, который ее теперь сильно уважает, сдать тетю полиции. Но у Надежды не было уверенности, что хитрая баба не обведет их вокруг пальца и не отмажется.

Да, похоже, дело зашло в тупик. Но Надежда не стала отчаиваться, а решила, так сказать, сменить тему. Она собиралась пойти в библиотеку, чтобы выяснить там, кто же такой Илья Николаевич, которому была адресована записка Феликса Юсупова. Вот теперь самое время, поскольку вполне может так случиться, что завтра вернется из командировки муж, и тогда ей не вырваться из дома.

Дома маялся кот. Он даже не стал возмущенно мяукать, а просто посмотрел с немым укором, и Надежде тотчас стало стыдно, что она оставляет животное одного на полдня.

— Бейсик, прости меня, но дело не ждет! — сказала она и попыталась погладить рыжую спинку.

Бейсик молча дернул плечом и ушел под кровать. Это означало, что кот в миноре и обижен на весь мир.

Надежда вздохнула и обратилась к зеркалу. Не хотелось, чтобы в Доме актера ее узнали, пришлось поработать над своей внешностью.

Если в прошлый раз она посещала прием по случаю презентации фильма известного режиссера, то сегодня просто идет в библиотеку. Стало быть, одеться надо попроще и поскромнее, волосы зачесать гладко, минимум макияжа, а лучше вообще все смыть. Надежда переоделась в далеко не новые брюки и мешковатую куртку, которую, если честно, давно собиралась выбросить, и накрасила губы дешевой помадой, которая ей совершенно не шла.

Закончив работу над образом, она взглянула на себя в зеркало и невольно поморщилась. Настоящая мымра! Не дай бог попасть в таком виде на глаза кому-нибудь из знакомых! Потом пойдут разговоры...

Она вышла из дома, опустив глаза и не глядя по сторонам. К счастью, ни с кем из соседей Надежда не встретилась.

Маршрутка быстро домчала ее до Невского проспекта. Надежда Николаевна вошла в Дом актера и знакомым путем прошла в библиотеку.

Библиотека была открыта, но посетителей оказалось немного. Первое, что увидела Надежда, едва переступив порог, был деревянный Ибрагим, ярко раскрашенный арапчонок в турецком наряде. Надежде показалось, что Ибрагим посмотрел на нее весьма ехидно, припомнив их первую встречу, и даже, кажется, хитро подмигнул. Она ответила ему строгим взглядом и внимательно оглядела остальных присутствующих.

В глубоком кресле возле камина сидел крупный мужчина с удивительно знакомым лицом. Приглядевшись к нему, Надежда вспомнила, что видела его как-то в театре, в роли доктора Астрова. За столиком восседала сотрудница библиотеки — бледная, высушенная особа средних лет с жидким узлом бесцветных волос, в блекло-сером костюме. Увидев Надежду и оценив ее внешний вид, она поинтересовалась, чем может помочь.

— У вас ведь много книг о семье Юсуповых?

— Ну конечно! Этот дворец принадлежал им, так что мы подобрали соответствующую литературу.

— Понимаете, я пишу статью о связях Юсуповых с театром и хотела выяснить их круг общения.

Библиотекарша едва заметно пожала плечами — статью так статью, ей-то что.

— Да, тогда вам лучше всего начать вот с этой книги... — дама подошла к одному из шкафов и достала толстый том в глянцевой суперобложке, на которой было написано: «Петербургские вечера».

— Только выносить книгу нельзя!

Надежда пристроилась в уголке и начала с того, что просмотрела многочисленные фотографии, сделанные на светских приемах, а также в знаменитых петербургских богемных заведениях начала двадцатого века — в «Бродячей собаке», «Стойле Пегаса», «Черном коте»,

«Летучей мыши» и других, не так широко известных. Надежда узнала Анну Ахматову, Николая Гумилева и других популярных людей той необыкновенной эпохи, которую принято называть Серебряным веком. Были в книге и другие фотографии — представителей знати, самого Феликса Юсупова, его друзей.

Надежда переворачивала страницу за страницей, как вдруг из книги выпала коричневатая старинная фотография. На ней была изображена трогательная сцена: неправдоподобно огромная собака с массивной головой и обвислыми ушами, запряженная в изящные саночки, в которых сидела маленькая, хорошенькая, как кукла, девочка в белой шубке и меховом капоре. В углу фотографии было напечатано: «Художникъ-фотографъ Штокманъ, Невскій проспектъ».

Надежда подняла фотографию и показала ее библиотекарше:

— Посмотрите, это было в книге!

— Надо же, а я думала, она потерялась. Спасибо, это очень ценная фотография.

— А кто эта девочка?

— Это маленькая графиня Сумарокова, дальняя родственница Юсуповых, со своим меделяном Кречетом.

— Меделян? А кто это?

— Меделян — это старинная русская порода собак, с которыми охотились на медведя. В двадцатом веке последние меделяны вымерли, и сейчас этой породы нет. Может быть, вы помните — у Куприна есть рассказ о такой собаке.

Библиотекарь убрала фотографию в ящик своего стола, а Надежда взглянула на ту страницу, которая была заложена старым снимком. На этой странице размещалась черно-белая фотография, под которой стояла подпись: «Слева направо — вел. князь Дмитрий Николаевич, Феликс Юсупов, Илья Сумраков...»

Так, не тот ли это Илья Николаевич, которого Надежда так упорно искала?

Она взяла книгу и подошла к библиотекарю.

— Вы не могли бы мне помочь?

— Слушаю вас!

— Кто этот человек, рядом с Феликсом Юсуповым?

— Ну, тут же написано — Илья Сумраков!

— Да, но кто он такой?

— Это светский персонаж дореволюционного Петербурга, дальний родственник Феликса Юсупова. По боковой линии он принадлежал к семье Сумароковых, фамилия Сумраков слегка искажена. Видимо, его предок был незаконнорожденным, почему он и не унаследовал титул и имение Сумароковых...

— А есть о нем какие-нибудь сведения более позднего времени? Что с ним стало после революции?

— Вот, посмотрите эту книгу, — библиотекарь подала Надежде потрепанный томик, озаглавленный «Иных уж нет...» — Эту книгу написал потомок старинного дворянского семейства Ртищевых, оставшийся в России после революции. Во время Второй мировой войны он оказался на оккупированной немцами территории, скитался по всей Европе, в результате перебрался во Францию и там написал обо всех представителях старинных дворянских родов, которые жили в Советской России. О том, как они выживали в трудных условиях и приспосабливались к новым порядкам. Я думаю, здесь есть раздел и об Илье Сумракове.

Надежда поблагодарила ее и взялась за новую книгу. Очень скоро она нашла фрагмент, посвященный интересующему ее человеку. «Илья Николаевич Сумраков, представитель старинного дворянского рода Сумароковых, принадлежал к их побочной ветви, что помогло ему удачно скрыть свое происхождение. Однако вскоре после революции он был задержан по обвинению в причастности к монархическому заговору. Чудом избежал расстрела, убедив большевиков в своем пролетарском происхождении. После освобождения из застенков ЧК Сумраков устроился сторожем в детский дом номер двадцать четыре имени Урицкого, поскольку этот дом располагался в особняке, некогда принадлежавшем его семье. Однако после того, как его опознал кто-то из служащих детского дома, он устроился санитаром в больницу Святой Екатерины на Васильевском острове, а позднее — сторожем на соседнем Екатерининском кладбище. В дальнейшем следы его теряются».

На этой же странице были помещены две старые, весьма нечеткие фотографии. На первой был изображен лощеный мужчина лет тридцати, во фраке и белоснежной манишке, с блестящими от бриолина темными волосами и зажатой в зубах сигарой. На второй — ссутулившийся, небритый человек неопределенного возраста, в поношенной солдатской шинели, валенках и драном треухе стоял в подтаявшем снегу возле покосившихся кладбищенских ворот. Трудно, да просто невозможно было поверить, что это один и тот же человек.

Приглядевшись ко второму снимку, Надежда увидела на воротах странное изображение. Она включила лампу, попросила у библиотекарши лупу и только тогда разглядела какой-то кружок и что-то вроде меча.

Она подошла к библиотекарше, положила перед ней открытую книгу и спросила:

— Вы случайно не знаете, что за изображение на этих воротах? Что это за символы?

— Отчего же не знаю! — ответила та самоуверенно и высокомерно. — Конечно, знаю. Это символы святой великомученицы Екатерины — расколотое колесо, меч и книга. Дело в том, что римляне сначала хотели ее колесовать, но молния разбила колесо, и тогда ей отрубили голову мечом. А книга — это символ ее знаний, ибо Екатерина была весьма начитанной женщиной...

— Спасибо! — перебила ее Надежда.

Она вспомнила, что совсем недавно видела такие же символы на обратной стороне веера, найденного в тайнике в этой самой библиотеке. Там были изображены те же символы — разбитое колесо, книга, меч... но еще кипарис.

Вряд ли это случайное совпадение.

— А что символизирует кипарис? — спросила она на всякий случай.

— Кипарис символизирует смерть и в то же время — вечную жизнь. Кипарисы сажали на кладбищах...

— На кладбищах! — как эхо, повторила Надежда. — Значит, нужно ехать на кладбище... на Екатерининское кладбище!

— Тогда вам нужно поторопиться — кажется, его скоро снесут. Там что-то строить собираются.

На библиотечных часах было около четырех. Скоро начнет темнеть, и правда нужно торопиться. Откладывать посещение кладбища было нельзя — муж прислал сообщение, что вернется завтра.

«Если ничего на кладбище не найду — брошу это дело к черту!» — поклялась Надежда деревянному Ибрагиму.

Тот промолчал в ответ, однако в его взгляде Надежда прочитала сомнение.

Шайка во главе с матросом Колодным шла по набережной Мойки, затем свернула в узкие переулки Коломны, направляясь к Сенной площади, возле которой располагалась знаменитая «Вяземская лавра» — огромный ночлежный дом, служивший пристанищем для всей окрестной шпаны и преступных элементов.

Позади всех шел, заплетая ногу за ногу и оглядываясь по сторонам, золотозубый тип.

Вдруг из темного проулка появилась темная фигура и, поравнявшись с золотозубым, прошипела:

— Псст!

Золотозубый остановился, огляделся, убедился, что никто из подельников не смотрит в его сторону, и только тогда шагнул навстречу незнакомцу.

Это был очень странный человек, одетый в шапку-треух и драный овчинный полушубок, из-под которого виднелись отутюженные брюки и лаковые штиблеты. Однако самым странным в этом человеке было лицо: удивительно смуглое, словно обожженное нездешним солнцем, и глаза — близко посаженные и черные, как два револьверных дула.

— Ну что, приятель, попали вы с друзьями в дом?

— Так точно, ваше благородие, попали! — ответил золотозубый с какой-то неожиданной робостью. — Сперва слуги не хотели нас пускать, но мы дверь топором прорубили…

— Меня не интересуют эти подробности! Говори главное — нашел то… ну, сам знаешь что. То, о чем я тебе сказал.

— Тайник? Схрон господский?

— Тише ты! — шикнул на золотозубого собеседник и покосился по сторонам. — Так что — нашел?

— Так точно, ваше благородие!

— И где то, что в нем было?

— У матроса все, у Колодного. Он сказал, что на малине будет дележка, а до той поры все себе забрал. Чтобы, значит, все было по пролетарской справедливости.

— А веер нашел?

— Вот чего нет, того нет.

— Плохо, однако, искал.

— Я хорошо искал, ваше благородие, я старался! Как вы сказали, что вам тот веер нужен, так я все перерыл...

Он хотел еще что-то сказать, но вдруг понял, что оправдываться не перед кем — собеседник пропал, словно сквозь землю провалился.

Золотозубый опасливо поежился, сплюнул на землю и припустил вдогонку за шайкой.

Матрос, однако, заметил его отсутствие, сверкнул страшными глазами и прохрипел:

— Ты с кем это там лясы точил?

— Чегой-то? — золотозубый изобразил глухоту.

— С кем базарил? И не вздумай мне ваньку валять! Ты меня знаешь — у меня разговор короткий!

— Ах, это! — золотозубый осклабился. — Так земляка я встретил. Костромской он, как и я. Встретились, два слова сказали и разошлись.

— Земляка, значит? — недоверчиво переспросил матрос. — Ну, смотри у меня — если вздумаешь крысятничать, у меня разговор короткий... живо к Духонину в штаб определю!

— Что ты, братишка, — золотозубый ударил себя в грудь кулаком. — Никогда у меня такого не было, чтобы крысятничать!

— Смотри у меня! — матрос угрожающе скрипнул зубами.

Тем временем вся шайка уже подошла к «Вяземской лавре».

О близости этого особенного места говорил непередаваемый запах, от которого неподготовленный человек мог запросто упасть в обморок.

В середине девятнадцатого века князь Вяземский купил большой земельный участок между Сенной площадью и Фонтанкой, где выстроил несколько домов, которые сдавал арендаторам. Из своей недвижимости князь хотел выжать как можно больше денег и поэтому сдавал ее любому, лишь бы платили вовремя, руководствуясь известным изречением римского императора Веспасиана: «Деньги не пахнут».

Так появились тринадцать домов, разделенных темными закоулками и проходными дворами, где были дешевые трактиры и распивочные, ночлежные дома и «семейные бани» — то есть попросту бордели самого низкого пошиба. Соответственно, обитали здесь самые мрачные и опасные представители городского дна.

Весь этот квартал получил в народе ироническое название «Вяземская лавра», ведь лаврами на Руси называли мужские монастыри высшего разряда.

Полиция в «Вяземскую лавру» соваться не решалась, слишком это было опасно, поэтому здесь находили убежище беглые каторжники и самые опасные преступники.

Для удобства и безопасности в «лавре» было много потайных ходов и тайных убежищ. Здесь же можно было сбыть краденое, обзавестись фальшивыми документами и самым настоящим оружием, которое сбывали за гроши солдаты-дезертиры или вороватые армейские интенданты.

Революция пока не коснулась «Вяземской лавры» и ее обитателей, которых большевики относили к пролетариату, и матрос Колодный со своей шайкой нашел там пристанище. Сюда-то он и направлялся после удачного визита в особняк князей Юсуповых.

Во главе своей разномастной шайки Колодный подошел к низенькой запертой двери и постучал в нее условным стуком.

Из-за двери тут же донесся сиплый недовольный голос:

— Кого там черти принесли? Я тебе постучу! Проходи, проходи, пока цел!

— Это я, Порфирьич! — проговорил матрос с неожиданным почтением. — Открой!

— Кто это — я? — с недоверием переспросили из-за двери.

— Я это, Колодный!

— Какой еще голодный? Я сам с утра не жрамши!

— Не голодный, а Колодный! Матрос с крейсера «Убедительный»...

— Ах, матрос! Так бы и говорил!

Дверь со скрипом отворилась, на пороге в облаке пара появился горбун с длинными, как у обезьяны, руками и с черным провалом на месте носа. Вместе с горбуном из двери вырвалось омерзительное зловоние.

Осмотрев пришельцев, привратник протянул матросу руку:

— Ты, братишка, порядки здешние знаешь!

— Как не знать! — Колодный положил в ладонь привратника несколько монет, которые тут же исчезли в его бездонном кармане, после чего горбун отступил, открывая пришельцам проход в темные закоулки «Вяземской лавры».

Матрос и его верные соратники проскользнули в дверь, которая за ними тут же закрылась, и в полной темноте зашагали хорошо известным путем.

Пройдя несколько метров по темному коридору, они оказались в большом и мрачном ночлежном доме. В длинном помещении с низким сводчатым потолком стояли в ряд несколько десятков кое-как сколоченных нар, на которых спали обитатели вяземского «монастыря». Старые и молодые, больные и увечные, они лежали тут вповалку. Огромная комната оглашалась разноголосым храпом и была наполнена чудовищными миазмами.

При появлении матроса и его спутников кто-то из постояльцев проснулся и испуганно поглядел на пришельцев, но тут же снова заснул или сделал вид, ибо в этом месте главным законом было — не лезь в чужие дела.

Пройдя через ночлежку, Колодный со своей бандой спустился на несколько ступеней, оказавшись в длинном подвальном коридоре, проходившем сквозь всю «лавру».

Пройдя по этому коридору, честна́я компания снова поднялась по скрипучей лестнице. Теперь они оказались в небольшой, жарко натопленной комнатке, где вдоль стен стояли деревянные лавки, а посредине — длинный дощатый стол.

— Ну что, братишечки! — проговорил матрос, потирая руки. — Здесь мы с вами хабар и поделим. А потом уж можете расходиться, кто куда пожелает.

— Не по-хрестьянски это! — проговорил вдруг золотозубый молодчик. — Нельзя так!

— О чем это ты? — нахмурился матрос. — Что значит — нельзя? Как я сказал, так и будет! А если кто недоволен, того сей же момент отправлю в штаб к Духонину!

— Что ты заладил свое — к Духонину, к Духонину... твоя воля, можешь меня кончить, а только у честных воров порядок завсегда один — удачное дело обмыть положено! Выпить, стало быть, за воровской фарт и за наш закон!

— Дело он говорит! — поддержали золотозубого остальные. — Обмыть это дело нужно!

— Ну, насчет этого спорить не буду, — смирился матрос. — Обмыть удачу — это никогда не вредно! Только где нам это самое взять, чем обмывают?

— Насчет этого, братишка, можешь не сомневаться! Уж чего-чего, а выпивку в «Вяземской лавре» раздобыть завсегда можно! Здесь с этим делом проблем нет!

Золотозубый подошел к печи и трижды постучал в чугунную заслонку. В ответ ему раздался такой же приглушенный стук. Золотозубый снова постучал — на этот раз дважды.

— Это с кем ты перестукиваешься? — удивленно проговорил матрос. — С домовым, что ли?

— С домовым! — усмехнулся золотозубый. — Ты его уже видел, здешнего домового!

И правда, через несколько минут дверь комнатки отворилась, и на пороге появился давешний горбун, вяземский привратник. Он вошел, бережно прижимая к себе огромную бутыль зеленоватого стекла, в которой плескалась мутная, белесая, маслянистая жидкость.

— Шампанское заказывали? — осклабился горбун, поставив свою ношу посреди стола.

— Вот это дело! — оживились ханурики, потянувшись к столу.

Даже матрос Колодный довольно заулыбался.

Горбун достал из карманов своей шинели несколько граненых стаканов и поставил их рядом с бутылью, затем привычным жестом протянул руку матросу. Тот без лишних споров положил в его ладонь деньги и начал разливать содержимое бутыли. Его соратники, отталкивая друг друга локтями, в секунду расхватали стаканы и без лишних разговоров опрокинули в свои луженые глотки.

Колодный тоже выпил и снова потянулся к бутыли, но тут его что-то насторожило.

Он быстрым волчьим взглядом окинул комнату. Все участники шайки толпились вокруг стола с довольным видом и тянулись за новой порцией пойла. Только горбун сидел на лавке со скучающим видом, да золотозубый стоял чуть в стороне от остальных с полным стаканом в руке.

— А ты чего не пьешь? — подозрительно проговорил Колодный, зыркнув на золотозубого.

— Я-то? — переспросил тот испуганно.

— Ты-то! — передразнил его матрос.

— Да я притомился маленько, щас передохну да выпью... непременно выпью...

— А ну, пей! — рявкнул Колодный.

— Да щас, щас, братишечка, чего ты так кипятишься, как котелок на огне... — золотозубый поднес стакан к губам, но тут споткнулся, и белесая жидкость выплеснулась ему на грудь.

— Это чего... это почему... — прохрипел матрос и потянулся к деревянной рукоятке маузера.

Однако вытащить оружие он не успел. В глазах его вдруг замелькали разноцветные круги и пятна, как во время праздничного фейерверка. В ушах забухало тяжелыми глухими ударами, как будто где-то вдалеке стреляли из орудий главного калибра. А потом в глазах потемнело, а ноги подогнулись, и матрос Колодный упал на грязный, заплеванный земляной пол. В последний момент его жизни, сквозь наплывающий смертный туман, он успел разглядеть, как все его подельники один за другим падают на пол, как срезанные снопы.

Золотозубый тип убедился, что вся шайка Колодного мертва, и взглянул на горбуна, который с самым невозмутимым видом сидел на скамье, словно все происходящее его нисколько не касалось и ничуть не интересовало.

— Спасибо тебе, братишечка! — проговорил золотозубый и протянул горбуну пачку денег.

— Это чего? — просипел горбун, удивленно и неприязненно разглядывая деньги.

— Как — чего? — опешил золотозубый. — Деньги твои, за работу... как договаривались...

— Кому они нужны, эти керенки? — горбун сплюнул на пол. — Нет, мил человек, тот наш договор теперича отменяется! Теперича по-новому будет! Мы с тобой, мил человек, по-честному весь хабар поделим, который вы с матросиком принесли.

— Это с какого же перепуга? — окрысился золотозубый.

— А с такого, что я так решил. И тебе, мил человек, это очень даже выгодно. Много ли тебе от того матросика перепало бы? А так твоя целая половина будет!

Золотозубый молчал, скрипя зубами. Горбун смотрел на него исподлобья.

Молчание затянулось, и тогда горбун просипел:

— Ну, мил человек, не тяни, давай уже! Либо соглашайся на мои условия, либо...

— Либо? — переспросил золотозубый, потянувшись к ножу.

— Либо девять грамм! — отчеканил горбун, и в руке его откуда ни возьмись появился маузер Колодного.

— Ладно, — смирился золотозубый. — Твоя взяла!

— Это правда, — горбун усмехнулся. — Моя всегда берет!

— Давай тогда, что ли, хабар делить... — золотозубый поднял с пола тяжелый мешок, поставил его на стол. — Ну, кто делить будет? Доверяешь мне? — он дернул завязки мешка, и из него жарко сверкнуло золотом и самоцветами.

Блеск отразился в глазах горбуна, и в этих глазах вспыхнуло безумное пламя.

— Тебе? Доверить? — переспросил горбун. — Да я тебе луковицу гнилую не доверю! Сам буду делить!

С этими словами он подкатился к столу, дернул к себе мешок и уставился в него, а потом запустил руку и принялся ворошить кольца, серьги, браслеты и ожерелья.

— Ржавье! — просипел он захлебывающимся от восторга голосом. — В жизни столько ржавья не видал!

— И не увидишь! — тихо проговорил золотозубый и вонзил в шею горбуна нож.

Тот как-то странно кашлянул, в горле у него забулькало, изо рта пошла розовая пена, и горбун повалился на стол, все еще сжимая в руках золотые украшения.

Золотозубый подождал, пока горбун перестанет дергаться, оттащил его от стола и бросил на пол, поверх трупа Колодного. Затем разжал его руки и вытащил несколько колец и серег, которые горбун сжимал даже мертвый.

Надежда приехала на дальний конец Васильевского острова и вышла из маршрутки.

Дальше никакой транспорт не ходил, и Надежда отправилась пешком по проулку между мрачной краснокирпичной стеной какого-то заброшенного завода и высоким дощатым забором.

Ее охватило гнетущее чувство, которое усилилось, когда где-то неподалеку послышался хриплый собачий лай, перешедший в тоскливый, унылый вой, от которого по ее спине пробежал ледяной озноб. Она уже хотела развернуться, но тут забор кончился, вместо него появилась ржавая железная ограда, местами погнутая, а местами и вовсе повалившаяся. Самые большие проломы были заделаны металлической сеткой.

За этой оградой среди чахлой прошлогодней травы тянулись неровные ряды могил. Покосившиеся деревянные и чугунные кресты, надгробные камни с выбитыми датами, изредка — печальные каменные ангелы с опущенными факелами, мраморные надгробья, потемневшие от времени и непогоды.

Надежда шла вдоль кладбищенской ограды, с грустью глядя на это запустение. Мелькнула здравая мысль развернуться и уйти отсюда по-добру-поздорову. Ну не найдет она здесь ничего путного, да еще и стемнеет скоро. А в темноте по кладбищу только вампиры гуляют... Она даже остановилась, и только привычка доводить каждое начатое дело до конца заставила ее идти дальше.

Наконец показались ворота, перед которыми стоял бульдозер с поднятым щитом, рядом — черная машина. Тут же толстый лысый мужчина в куртке с меховым воротником раздраженно разговаривал со стариком в черном поношенном пальто.

— Ты понимаешь, дед, что у меня сроки? Ты понимаешь, что мне за каждый день простоя платить приходится?

— А вы понимаете, молодой человек, что здесь люди похоронены? Чьи-то предки!

— Да мне на этих предков... наплевать с высокой вышки! Уходи, дед, и не мешай работать, а то похороним тебя здесь вместе с твоими предками, и дело с концом!

Тут лысый мужчина заметил Надежду и смерил ее неприязненным взглядом:

— А ты еще кто такая?

— Корреспондент интернет-издания «С добрым утром, Петербург!» — моментально нашлась Надежда, ловким жестом выхватывая из кармана мобильный телефон. — А вы кто такой? — проговорила она строго. — Представьтесь, пожалуйста! И почему вы угрожаете этому человеку, который вам, между прочим, в отцы годится? Вы разве не знаете, что старость нужно уважать? Или у вас на этот счет другое мнение?

— Чего?! — Лысый побагровел, его глаза чуть не вылезли из орбит. — Да я тебя...

— Имейте в виду — наш разговор транслируется в Интернете в режиме реального времени! На нас сейчас смотрят несколько тысяч человек. Так что вы хотели сказать? — Она поднесла телефон к губам и громко произнесла: — Дорогие подписчики, мы находимся перед входом на историческое Екатерининское кладбище. Здесь есть захоронения еще восемнадцатого века. Сейчас мы с вами стали свидетелями того, как этот господин угрожал применением насилия...

— Ничем я не угрожал! — выдохнул лысый, вскочил в свою машину и крикнул шоферу: — Гони домой!

Машина возмущенно фыркнула и умчалась.

Старик повернулся к Надежде и проговорил:

— Спасибо вам! Вы меня выручили.

— Но завтра он опять вернется!

— Завтра что-нибудь придумаем. А вы на самом деле кто? Я ведь понял, что вы никакой не корреспондент...

— Да, конечно... — Надежда смутилась. — Это так, экспромт... впрочем, как видите, он сработал. На самом деле я пишу статью об очень интересном человеке, об Илье Николаевиче Сумракове. Он здесь работал сторожем еще до войны.

— Да, действительно, был такой человек. Не только до войны — он и блокаду пережил, и еще после войны здесь обитал. Мой отец хорошо его знал, да и мне в детстве приходилось с ним встречаться.

— А вы не знаете, почему он именно здесь, на этом кладбище, осел?

— Как не знать? Конечно, знаю. Он ведь был по боковой линии родственником графов Сумароковых... знаете, был такой поэт в восемнадцатом веке?

— Знаю, — кивнула Надежда. — А при чем тут Сумароковы? Какое отношение они имеют к этому кладбищу?

— Самое прямое. На этом кладбище многие члены этого семейства похоронены. Вот Илья Николаевич и хотел быть поближе к своей родне. В живых-то никого уже не осталось, так он возле мертвых поселился. Здесь его потом и похоронили.

— А вы могли бы показать мне их могилы?

— Конечно, могу! — с этими словами старик развернулся и зашагал по узкой дорожке в глубину кладбища.

Надежда устремилась за ним, как Данте шел за Вергилием в своей великой поэме.

Вдруг где-то невдалеке снова послышался тоскливый вой. Надежда вздрогнула и спросила своего провожатого, невольно понизив голос:

— Кто это воет?

— Да собаки бездомные. Их здесь много.

— Вы их не боитесь?

— А что их бояться? Они такие же, как я...

Несмотря на свой возраст, старик шел удивительно быстро, так что Надежда едва за ним поспевала. К счастью, кладбище было невелико, и скоро они пришли на место.

Старик остановился в дальнем углу кладбища, отделенном от остальной части погоста двумя дорожками.

— Вот он, сумароковский участок! — проговорил он, поведя вокруг рукой. — Здесь вся их семья похоронена. Вон там, в глубине, — еще восемнадцатого века могилы, там, видите, похоронен генерал от инфантерии Степан Иванович Сумароков с супругой. Рядом — его сыновья, Прохор Степанович, статский советник, и Аристарх Степанович, коллежский асессор...

Старик переходил от могилы к могиле, представляя Надежде покойников, как представляют гостей на званом вечере. Надежда разглядывала надгробья — кресты и стелы из черного карельского гранита с блеклыми, стертыми надписями, сообщающими имена, титулы и даты жизни.

И все время она пыталась понять, что же хотел сказать Феликс Юсупов своему дальнему родственнику в той записке, вокруг которой произошло столько непонятных событий. Эта записка привела ее на старое кладбище — а что дальше?

В самом центре сумароковского участка возвышался каменный склеп, нечто вроде небольшого античного храма на гранитном фундаменте, увенчанный ажурным кованым крестом. Подойдя к нему, старик проговорил:

— А вот тут, в этом склепе, хоронили всех Сумароковых, начиная с середины девятнадцатого века — то есть с того времени, когда генерал-адъютант Сергей Павлович Сумароков по указу императора Александра Второго получил графский титул. Здесь покоится и сам Сергей Павлович, и его дети. Внуков у него, к сожалению, не было, поэтому титул перешел к боковой ветви...

Надежда увидела над входом в склеп знакомый герб — рыцарский шлем в короне и скрещенные мечи. Над гербом были высечены слова сумароковского девиза: «Любящимъ справедливость, благочестіе и вѣрность».

Ну да, тот самый девиз, что был написан на веере.

Внезапно из кармана ее провожатого донеслись начальные звуки Сороковой симфонии Моцарта. Старик вытащил телефон, поднес его к уху, недолго послушал и сказал Надежде:

— Я должен вас покинуть. Там приехал юрист, который обещал помочь с сохранением кладбища.

— Конечно, вы мне и так очень помогли! Большое спасибо! И удачи вам!..

Старик удалился, и Надежда осталась одна.

Ей стало особенно неуютно и одиноко, тем более что где-то неподалеку снова раздался глухой тоскливый вой.

Не зря ли она пришла сюда? Не зря ли ввязалась в эту авантюру с юсуповским веером?

«А я ведь тебя предупреждал!» — прозвучал внутренний голос.

И это решило все. Надежда поняла, что не отступит! Она доведет свое расследование до конца, чего бы это ни стоило.

Если на кладбище и есть какой-то тайник, то он, скорее всего, в склепе. Она подошла к нему и подергала чугунную дверь, но та была заперта. Впрочем, кто бы сомневался... Если здесь спрятано что-то важное и ценное, вряд ли вход открыт для всех желающих.

Надежда вспомнила, что обычно ключи от склепов прячут неподалеку, тут же, на кладбище, и внимательно осмотрела крыльцо склепа, перевернула каждый камень поблизости, заглянула в каждую трещину фундамента... но ничего не нашла.

Где же ключ?

Одно из двух: или он давно потерян, или спрятан в более надежном месте. Скорее всего, потерян — ведь со смерти последнего члена семьи, Ильи Сумракова, прошло больше полувека.

Конечно, можно было попытаться открыть дверь при помощи канцелярских скрепок, но это вряд ли получится. Сто пятьдесят лет назад очень хорошо умели делать вещи, и замки тоже. Снова явилась мысль, что зря она все это затеяла. Тащилась в такую даль, а что нашла? Запертый склеп, и ничего больше.

Надежда уже готова была признать поражение и покинуть кладбище, но на всякий случай оглядела замочную скважину. Скважина оказалась необычной формы — простое круглое отверстие, без прорези для бородки ключа. Это отверстие кое-что ей напомнило. В конце концов, попытка — не пытка...

Надежда достала из сумочки веер, повернула его ручкой к двери и попыталась вставить в замочную скважину...

И ручка веера вошла в скважину, как ключ. Да это, собственно, и был ключ. Надежда повернула его, замок негромко щелкнул, и дверь открылась.

Удивительно! За долгие годы замок должен был проржаветь, но он открылся так легко, как будто его только вчера смазали и закрыли. Да, умели делать вещи в позапрошлом веке...

Надежда распахнула дверь и шагнула внутрь склепа, где царила полутьма.

Внутри стояло три массивных саркофага из черного полированного гранита. Глаза Надежды адаптировались к скудному освещению, и она смогла прочесть надписи на этих саркофагах.

На первом саркофаге славянской вязью было выведено: «Вѣрный слуга царя и Отечества генерал-адъютантъ графъ Сергѣй Павловичъ Сумароковъ». Сверху красовалась графская корона, под ней — годы жизни генерала. Ну да, здесь покоится тот самый генерал, которого император удостоил графского титула.

Надпись на втором саркофаге была высечена простой кириллицей: «Статскій совѣтник Александръ Сергѣевичъ Сумароковъ». Над этим именем также была графская корона, ниже — годы жизни.

Наконец, на третьем надпись была и вовсе лаконичной: «Екатерина Сергѣевна Сумарокова». И даты рождения и смерти. Их разделяло всего три года — значит, Екатерина умерла совсем маленьким ребенком. Над именем девочки вместо графской короны было изображено сломанное колесо — символ ее небесной покровительницы святой Екатерины.

Надежда с тихой грустью подумала о покоящейся здесь маленькой девочке и взглянула на веер, который все еще держала в руках.

На веере было изображено точно такое же сломанное колесо, как и на третьем саркофаге. Может быть, это неслучайно? Надежда разглядела в середине колеса на саркофаге едва заметное углубление и под влиянием внезапного порыва вставила в это углубление ручку веера. И так же, как в случае с замочной скважиной, ручка легко, без сопротивления вошла в отверстие.

Надежда повернула веер. Раздался глухой скрежет, и каменная крышка саркофага сдвинулась с места. Из-под крышки потянуло сырым холодом.

От неожиданности Надежда отшатнулась, но потом врожденное любопытство заставило ее шагнуть вперед и заглянуть под крышку саркофага. Она думала, что увидит каменный ящик, а в нем — останки трехлетней девочки. Но вместо этого перед ее взором предстали уходящие в глубину ступени из черного полированного гранита.

«Не полезешь же ты туда! — прозвучал внутренний голос, как всегда строгий и рассудительный, как голос мужа. — Все же ты не настолько безрассудна, чтобы живой спуститься в могилу!»

— Но тогда я никогда не узнаю, что там скрывается! Не узнаю, какую тайну хранил больше ста лет этот веер!

Внутренний голос промолчал — видимо, на этот раз ему нечего было ответить.

Надежда перешагнула через край саркофага, ступила на первую ступеньку и начала спускаться по лестнице.

Впереди была глухая, непроглядная тьма, пахнущая сырым могильным холодом. Тьма — и еще тишина. Такая глубокая, бесконечная, безнадежная тишина, которой никогда не бывает в мире живых.

С каждым шагом темнота становилась все гуще и плотнее, и скоро Надежда уже не могла различить следующую ступеньку. Она остановилась, перевела телефон в режим фонарика, осветила им каменную лестницу и пошла дальше, в глубину подземелья.

Надежда не считала ступени, но когда лестница закончилась и впереди показался ровный прямой коридор с облицованными камнем стенами и низким сводчатым потолком, ей показалось, что она спустилась очень глубоко под землю. Надежда обернулась. Позади нее, удивительно далеко, виднелся тускло-серый прямоугольник — вход в саркофаг, из которого она попала в таинственное подземелье. Казалось, это тусклое пятно так далеко, как вся ее прежняя жизнь…

«Вернись! — снова прозвучал в голове внутренний голос, голос рассудка и осторожности. — Вернись, пока не поздно!»

— Ни за что! Не вернусь, пока не открою тайну этого подземелья! — ответила Надежда вслух и вздрогнула — собственный голос прозвучал под этими каменными сводами гулко и страшно.

Она пошла вперед... и вдруг, замерев, попятилась. Впереди, в десяти — пятнадцати шагах от нее, коридор внезапно заканчивался глухой каменной стеной, перед которой сидело чудовище. Огромная, могучая собака.

От страха сердце Надежды провалилось в пятки, однако собака не шелохнулась.

Надежда направила на нее луч фонарика и облегченно выдохнула: это была статуя, высеченная из черного гранита. Причем настолько искусно, что ее легко было принять за живого пса. Особенно в темном, безлюдном подземелье.

Едва оправившись от страха, Надежда подошла к статуе и внимательно оглядела ее. У собаки была широкая грудь, большая голова, обвислые уши и складчатая морда. Надежда вспомнила название породы — меделян, или меделянская собака. Та самая, о которой ей рассказывала библиотекарь в Доме актера.

Точно такая же собака на старой фотографии везла в саночках маленькую девочку в нарядной шубке... Тут до Надежды дошло, что эта девочка — не кто иная, как Екатерина Сумарокова, чье имя было высечено на саркофаге. Так что моделью для этой статуи, скорее всего, послужила та самая собака с фотографии.

Во взгляде собаки было что-то странное. Надежда направила свет фонарика на морду меделяна и с удивлением поняла, что глаза собаки закрыты. Она перевела луч фонарика вниз и увидела, что на полу у лап каменного пса стоит большой красивый ларец из позолоченной слоновой кости, покрытый тонкой, изящной резьбой, с прозрачной вставкой в крышке. Такие ларцы ей не раз случалось видеть в соборах — это рака, ларец для хранения мощей святых.

Надежда наклонилась над крышкой ларца и невольно отшатнулась.

Внутри, как дорогая старинная кукла, лежала маленькая девочка в платье из тончайших брабантских кружев, пожелтевших от времени. Несомненно, это была Катя Сумарокова. Казалось, что она жива, только спит — как Спящая красавица в своем хрустальном гробу. Видимо, мертвенный холод подземелья остановил тление детского тела, и девочка мумифицировалась. А каменный меделян больше ста лет стережет ее сон, как живой меделян берег маленькую графиню при жизни.

Надежда с жалостью и удивлением разглядывала лицо мертвой девочки, а потом заметила на хрустальной крышке ларца рисунок, точно такой же, как на развернутом веере, — сломанное колесо, меч и книга.

Это совпадение не могло быть случайным.

Надежда снова достала из кармана заветный веер, но на этот раз развернула его и приложила к рисунку на крышке ларца. В то же мгновение над ее головой раздался странный, пугающий звук.

Надежда отшатнулась от ларца, подняла голову, направив наверх луч фонаря, и снова увидела морду огромной собаки.

Но теперь эта морда выглядела совершенно иначе — теперь глаза меделяна были открыты.

Сердце Надежды пропустило удар, она похолодела от ужаса. На какое-то безумное мгновение ей показалось, что каменная собака ожила и сейчас набросится на нее, загрызет, сломает шею одним ударом тяжелой лапы... Надежде показалось, что каменный меделян покарает ее за то, что она вторглась в это мрачное подземелье и нарушила покой его маленькой хозяйки.

— Хорошая собачка... — дрожащим от страха голосом пролепетала Надежда, когда смогла перевести дыхание.

Прошла минута, другая, но каменная собака не шевелилась.

Надежда Николаевна Лебедева была материалистом и не верила ни в мистику, ни в оживающие статуи, она всему искала реальные объяснения. Едва миновал первый испуг и к ней вернулась способность дышать и логически мыслить, она взяла себя в руки, сделала глубокий вдох и снова направила свет фонарика на морду каменной собаки.

Действительно, глаза статуи сейчас были широко открыты и под лучом фонарика ослепительно сияли голубым светом. Холодным светом северных звезд...

В это мгновение Надежда поняла, что перед ней знаменитые бриллианты — те самые «Голубые Звезды»...

Так вот где были спрятаны легендарные камни! Больше ста лет их стерегла каменная собака.

— Хорошая собачка, хорошая... — с невольным почтением повторила Надежда.

Когда она приложила веер к узору на крышке ларца, каменная собака открыла глаза. Надежда наклонилась и подняла веер — и в то же мгновение тяжелые веки собаки опустились, скрыв голубые бриллианты. В подземелье снова стало темно.

Надежда перевела дыхание.

Она раскрыла тайну Юсуповых, тайну, бережно хранимую второе столетие. Но у нее и в мыслях не было уносить из подземелья легендарные бриллианты. Нужно было подумать, с кем поделиться этой тайной, кому ее можно доверить, а пока «Голубые Звезды» останутся на прежнем месте. Если каменный меделян хранил их больше ста лет, побережет и еще несколько дней.

Надежда убрала веер в карман куртки и отправилась в обратный путь.

Дорога назад показалась ей гораздо короче. Очень скоро Надежда поднялась по каменной лестнице, выбралась из саркофага, отдышалась и поставила на место каменную крышку. За это время на улице окончательно стемнело, а здесь, в склепе, стало почти так же темно, как под землей.

Домой, скорее домой!

Надежде хотелось встать под горячий душ, смыть с себя мертвенный холод подземелья и кладбищенскую сырость.

Она шагнула к выходу из склепа... и вдруг снова провалилась в сырую беспросветную тьму.

Надежда очнулась, открыла глаза и не смогла осознать, где находится. Вокруг была мутная полутьма и противно пахло плесенью. Кроме того, было очень холодно. Она пошевелилась и попыталась встать, но не тут-то было. Ее руки были заведены назад и туго привязаны к чему-то холодному и жесткому. Надежда тут же запаниковала, потому что не чувствовала рук. Неужели отморозила? Да нет, на улице плюсовая температура.

Надежда задергалась, и от этого стало еще неудобнее: в ногу впились мелкие камешки, но зато руки пронзила боль.

«Это хорошо, — успокоила себя Надежда, — это хорошо, что чувствительность восстановилась».

Глаза привыкли к полутьме, и она увидела, что находится в склепе. Вот отчего так сыро и холодно. Склеп был тот самый, где были похоронены предки графов Сумароковых, — Надежда заметила три саркофага. Но что же с нею случилось?

Она вспомнила, как выбралась из подземелья, как закрыла за собой крышку саркофага, где якобы похоронена маленькая девочка Екатерина трех лет от роду, как прошла к выходу из склепа, открыла дверь — и тут что-то ударило ее в лицо.

Надежда потрясла головой, сморщила нос и усиленно заморгала. Нигде ничего не отозвалось болью. Так, стало быть, ее не били, а просто брызнули в лицо из баллончика какой-то химической дрянью, и она потеряла сознание. А потом ее привязали за руки к чему-то... судя по ощущениям, к старому железному кресту. Вот как. Значит, она закончит свою жизнь на кресте. Как Иисус Христос.

Потихоньку подступала паника. Никого здесь нет, никто не придет, чтобы ее спасти. Тот старик небось давно ушел домой. А завтра, если и забредет сюда случайно и обнаружит открытую дверь склепа, будет поздно: Надежда к тому времени умрет от переохлаждения.

Осознав эту мысль, Надежда едва не заорала от ужаса. Только голоса не было, потому что в горле пересохло. Она закашлялась, и тут послышались негромкие шаги и скрипнула дверь склепа. А в следующую секунду сильный свет фонаря ударил в глаза.

Надежда невольно зажмурилась. Что-то подсказывало ей, что от человека, который вошел в склеп, ждать помощи нечего.

Так и оказалось.

— О, очухалась... — раздался удивительно знакомый голос. — Надо же! А говорили, что этот баллончик надежно вырубает часа на три. Выходит, врали. Ну что за люди? Никому нельзя верить...

Не открывая глаз, Надежда с горечью констатировала, что дела ее плохи. Откровенно говоря, дрянь дела. Потому что голос принадлежал той самой женщине, которую Надежда впервые встретила в ресторане, а потом видела в Доме актера и которую подозревала как минимум в двух убийствах. Это если не считать еще того больного, которого успокоили по ошибке, вместо Виктора. Ну да, Надежду еще тогда, в больнице, насторожило такое совпадение, а та баба, что приходила к Виктору, показалась подозрительной.

Стало быть, эта злодейка каким-то образом выследила Надежду и явилась за ней на кладбище. А Надежда, как полная дура, отправилась сюда одна, да еще вечером, и никого не предупредила. Хоть бы записку дома оставила, хоть бы Люське Симаковой позвонила...

Злодейка споткнулась и выронила фонарь. Надежда открыла глаза и увидела, что действительно это была та самая баба.

— Чего тебе нужно? — прошипела она.

— Мне? — расхохоталась злодейка. — Мне нужно? Это тебе какого рожна нужно от меня? Преследуешь, вынюхиваешь, воду мутишь...

— А ты думаешь, что тебе так и сойдет все с рук? — голос у Надежды потихоньку прорезался и даже окреп. — При твоей профессии как веревочке ни виться, а конец будет. Так что рано или поздно поймают тебя! Можешь не сомневаться!

— Это уж вряд ли, — самодовольно фыркнула злодейка.

— Ну вот я же вычислила, — вздохнула Надежда.

— Ага, и что с того? Так тут и останешься со всеми своими умозаключениями!

— А с чего ты взяла, что никто не знает, куда я пошла? — Надежда решила осторожно прощупать почву.

Паника прошла, теперь ее одолевала злость, которую Надежда пока еще контролировала. Значит, эта стерва вычислила ее по телефону салона красоты. Стало быть, Толик был хоть и небольшого ума, а все же догадался ей позвонить. Да, недооценила его Надежда. И теперь можно только тянуть время, забалтывая эту злодейку разговорами. Она спокойна и уверена, что сюда никто не придет, так что торопиться не станет, ей захочется Надежду помучить.

— Что же тогда никто не спешит к тебе на помощь? — злодейка пожала плечами.

— Так что — убьешь меня? — против воли голос у Надежды дрогнул.

— А зачем? — отмахнулась злодейка. — Мне за тебя денег не заплатят, а я, знаешь, даром не работаю.

— А за Оксану, значит, заплатили... — констатировала Надежда. — И чего тогда ты суетишься, раз уже денежки получила? Улетела бы куда-нибудь к теплому морю. Отдохнуть, здоровье поправить. У тебя работа нервная... Или недовыполнила заказ-то?

Последнее Надежда брякнула наугад и тут же поняла, что попала в точку, потому что явственно услышала, как злодейка скрипнула зубами.

— Стареешь, подруга, — продолжила она, — силы уже не те, голова тоже плохо соображает. Опять же, Петербург — город маленький, нет-нет да знакомого встретишь. Вот как в том шикарном ресторане напоролась на бывшего коллегу.

— Ты про Лешку Любимова, да? А он тебе кто — хахаль, что ли? — презрительно фыркнула злодейка.

Надежда мимолетом отметила, что разговор у них пошел самый житейский, бабский, а значит, киллерша малость расслабилась. Но вот что это ей дает?..

— Учились вместе, — уклончиво ответила она, вовсе не собираясь посвящать злодейку в свои семейные обстоятельства.

— Помню, что козел и ума небольшого... — откровенно веселилась злодейка.

— Однако тебя узнал, хоть и вырядилась ты в жуткое платье! Это же надо такие цветочки... — вздохнула Надежда. — Беда у тебя со вкусом...

— Я же для маскировки, — обиделась злодейка.

— Думаешь, если визжала там, как свинья недорезанная, и в бока ваты подложила, так тебя и узнать нельзя? Ты, конечно, его тоже узнала, вот и устроила ему покушение... только не вышло у тебя ничего.

— Да, — сердито буркнула злодейка, — бывают накладки.

— Это я тогда поспособствовала, — злорадно высказалась Надежда, вовсе не собираясь признаваться, что просто ей дуло в шею от кондиционера.

Не то чтобы она успокоилась, просто устала бояться. Теперь ей захотелось эту бабу разозлить, авось что-нибудь да выйдет.

— Значит, так и работаешь, так и трудишься в поте лица, — продолжила Надежда. — Тяжелым трудом хлеб с маслом добываешь. Тогда-то, пять лет назад, небось жена мужа своего заказала. Из-за фирмы да из-за квартиры. Признайся, чего уж теперь...

— Ну да, она самая. Только условие поставила: чтобы на нее ни в коем случае не подумали, чтобы сразу подозреваемый был. Это, доложу тебе, такая была зараза, что просто ненавистью исходила к девчонке той, секретарше. Ну, мне что, клиент всегда прав... — Киллерша хихикнула, отчего Надежду передернуло.

— И много у тебя таких заказов было?

— А твое какое дело? — опомнилась злодейка. — Тебе все равно с этими сведениями ничего не сделать, сдохнешь тут к утру!

— Да я не к тому спрашиваю... — Никто никогда не узнает, каких трудов стоило Надежде говорить спокойно. — Тщательней надо операции разрабатывать. Вполне могла ведь засыпаться, там дело на минуты шло. Ведь за Оксаной этой народ прямо толпой шел.

— Этот, из ваших, несся, как будто медом ему там было намазано, жена за ним... вот и случай удобный представился... очень удобный подозреваемый...

— Он ничего не помнит, — на всякий случай соврала Надежда. Не хватало еще, чтобы эта сволочь Витьку в больнице придушила.

— Это хорошо, — кивнула злодейка.

— А жену его выпустили, и теперь у них новый подозреваемый, бывший муж этой Оксаны...

— Муж? — Злодейка спросила это так, что до Надежды все сразу же дошло.

— Стало быть, это Корюшкин заказал тебе свою бывшую? То-то тогда в библиотеке мужской голос мне показался знакомым! Да ему-то зачем? Погоди-погоди... сама догадаюсь. У Оксаны что-то есть на него? Какой-то компромат?

— Да с чего ты взяла?

— А с того, что уж больно эта Оксана шифровалась. Боялась она кого-то, это точно. Мне...

Надежда вспомнила, как тот тип, Штукенвассер, говорил, что Оксана очень нервничала и заломила за записку несусветную цену. То есть ей нужны были деньги, чтобы уехать далеко и надолго, иначе зачем еще...

— Точно, — мрачно сообщила злодейка. — Она его шантажировала, деньги тянула, в противном случае грозилась всю жизнь ему поломать. Был у нее документ...

— Записка, что ли? — Надежда никак не могла взять в толк, какое отношение записка Феликса Юсупова может иметь к тому противному, хамоватому Корюшкину.

— Документ медицинский, — буркнула злодейка.

— Так вот что ты в квартире ее искала? И не нашла, — развеселилась Надежда. — Оттого клиент и недоволен, и ты бегаешь, как таракан под дихлофосом. Оксаночка-то теперь ничего не скажет... Вот говорила я, что тщательней нужно операцию разрабатывать...

Она слишком поздно заметила, что злодейка уже совсем близко, в последний момент Надежда пнула ее ногой, но той попало мало. Зато киллерша отвесила ей полноценную оплеуху, отчего у Надежды потемнело в глазах.

— Все сказала? — прошипела злодейка. — А теперь помолчи! — И она ловко заклеила Надежде рот скотчем. — Это чтобы ты не орала, так что никто тебя не найдет.

Надежда молчала. Не потому, что не могла говорить, а потому, что усиленно прислушивалась. Дело в том, что, когда злодейка ее ударила, Надежда дернулась и почувствовала, что старый проржавевший крест чуть сдвинулся. То есть он не был ни к чему прикреплен, а просто валялся у стены за ненадобностью. А это значит, что его можно сдвинуть.

Перед ее мысленным взором встали многочисленные картины, изображающие путь на Голгофу. Да, там все-таки крест был деревянный, хоть и очень большой, вряд ли она поднимет железный, да еще со связанными сзади руками. Ну хотя бы до дверей склепа доползти, если удастся. Надежда решила не тратить силы и не унижаться.

— Ну как тебе теперь?

Злодейка наклонилась ближе, и Надежда выразила глазами все, что она о ней думает.

— Пока-пока, подруга! — Киллерша напоследок торжествующе ухмыльнулась и вышла из склепа.

Надежда проводила ее измученным, растерянным взглядом.

Неужели злодейка права, и ей суждено умереть здесь, в этом склепе, от переохлаждения? Хоть на улице и оттепель, но при почти нулевой температуре ей долго не продержаться. Она уже сейчас чувствовала, как щупальца сырого холода пробираются под одежду, проникают в каждую клеточку тела...

Силуэт киллерши последний раз мелькнул в дверях склепа. Она задержалась на пороге, закрыла дверь. Железная дверь хищно лязгнула, но тут же слегка приоткрылась под собственным весом. Злодейка вполголоса выругалась, снова попыталась закрыть дверь, но та опять приот-крылась.

Ну да, ведь ее можно отпереть и запереть только веером, о чем киллерша не знает. А веер — вот он, в кармане, Надежда чувствовала его сквозь одежду. Что ж, у нее появился хоть какой-то, пусть жалкий и ничтожный, шанс на спасение. Может быть, тот старик, кладбищенский сторож, заметит открытую дверь, заглянет в склеп и найдет ее...

Снаружи завывал ветер, скрипели, словно жалуясь на одиночество, ветви старых деревьев. Потом к этим звукам присоединился еще один: где-то неподалеку раздался тоскливый, заунывный вой — тот, что Надежда слышала часом раньше. Кажется, кладбищенский сторож говорил, что это воют бездомные собаки... Сейчас, в сгустившихся сумерках, этот вой казался особенно страшным.

Должно быть, даже киллерша почувствовала себя неуютно от этих леденящих душу звуков. Она последний раз безуспешно попыталась закрыть дверь склепа, выругалась и, бросив эти попытки, пошла прочь.

Ветер взвыл с новой силой, и его порыв еще шире распахнул дверь склепа.

Теперь Надежда видела в дверном проеме кладбищенскую дорожку и удаляющуюся по ней злодейку. Та явно спешила, чтобы как можно скорее покинуть кладбище. И вдруг сбоку от нее мелькнула огромная стремительная тень.

Не веря своим глазам, Надежда увидела несущуюся среди могил огромную собаку.

Киллерша испуганно повернулась, попыталась заслониться рукой, но это было то же самое, что заслониться от несущегося на полной скорости поезда. Собака налетела на женщину, сбила с ног, склонилась над ней...

Надежда услышала раздирающий душу крик, полный ужаса и страдания, а затем еще более страшный звук: хруст разгрызаемых костей и раздираемой плоти.

Надежда широко раскрыла глаза, не веря увиденному. И в то же мгновение громадная собака подняла голову и уставилась на нее. Надежда разглядела мощную голову с обвислыми ушами, страшную пасть и складки на морде...

Это был меделян. Давно уже вымершая порода, если верить книгам.

Надежда зажмурилась, чтобы не видеть эту кошмарную картину. А когда открыла глаза, собаки уже не было, только бесформенная, безжизненная груда лежала на дорожке в том месте, где минутой раньше стояла женщина-киллер.

Когда ужас миновал, Надежда снова почувствовала пронизывающий холод. Она пошевелилась, просто чтобы ощутить свое тело, проверить, что оно еще не онемело от холода, и вдруг почувствовала, что может немного сдвинуться с места. Она по-прежнему была накрепко привязана к железному кресту, но смогла немного передвинуться вместе с ним. Надежда повторила свою попытку — и передвинулась еще немного, на полшага приблизившись к выходу из склепа.

Точно, крест, к которому ее привязала киллерша, не был закреплен на полу склепа, а просто прислонен к стене. К тому же он оказался не таким уж и тяжелым. Так что, если Надежде хватит сил, она сможет идти, таща этот крест на спине, как Христос на пути к Голгофе...

Мысль эта была кощунственной, но внушала надежду на спасение.

Надежда еще немного приблизилась к двери склепа... и вдруг какая-то тень закрыла выход.

Надежда замерла. «Неужели киллерша пришла в себя и вернулась, чтобы завершить начатое?» — промелькнула страшная мысль.

Но тут из дверей донесся знакомый мужской голос:

— Кто здесь?

Надежда помотала головой, нечленораздельно мыча, и — о чудо! — липкая лента отклеилась с одного конца.

— Это я! — с трудом выговорила Надежда, узнав старого сторожа.

— О господи! — произнес тот, осветив ее фонарем. — Как вы сюда попали? Кто вас привязал?

— Ох, это долгая история! — выдохнула Надежда, окончательно освободив рот. — Развяжите меня... Как хорошо, что вы пришли, а то еще немного — и я бы умерла от холода!

— Ох, правда! — опомнился сторож. — Что же я стою, вопросы задаю глупые... — Он торопливо отвязал Надежду от креста и помог ей выйти из склепа.

На пороге Надежда задержалась, потому что ноги повиновались ей с трудом, и вгляделась в темноту.

На дорожке, недалеко от них, лежало что-то бесформенное, не подающее признаков жизни.

— Здесь была женщина... — неуверенно проговорила она. — На нее напала собака... такая огромная... я таких в жизни не видела...

— Собака? — переспросил старик. — Я же говорил вам, здесь много бездомных собак. Но обычно они безобидны. А что она была огромная, вам, наверное, показалось. В сумерках все предметы кажутся больше, чем есть на самом деле.

— И что же теперь с ней делать? — Надежда кивнула на бесформенную груду.

— Что делать? — старик быстро взглянул на Надежду. — Ну, возможны два варианта.

Первый — вызвать полицию и все подробно рассказать. Вас как свидетеля задержат, будут долго допрашивать, если нет при себе документов, возможно, продержат до утра...

— Ой! — вскрикнула Надежда, представив такой поворот событий. Это ведь до мужа непременно дойдет.

— А второй вариант? — спросила она робко.

— А второй... это ведь кладбище, здесь мертвых гораздо больше, чем живых. За двести с лишним лет столько покойников набралось... Одним больше, одним меньше. Да и потом, вы разве уверены, что видели все своими глазами?

— Нет... не вполне уверена, — пролепетала Надежда и снова взглянула на дорожку. Стало еще темнее, и теперь она не могла разглядеть, что там лежит — мертвая женщина или просто груда прошлогодних осенних листьев.

— Ну вот, и я не уверен, — подхватил сторож. — Пойдемте лучше ко мне в сторожку, я вас напою горячим чаем. А то, смотрю, вы совсем замерзли.

— Да, пойдемте! — Тут Надежда кое-что вспомнила. — А что там с юристом? Сумеет он отстоять это кладбище?

— Боюсь, что нет, — вздохнул мужчина. — Слишком большие деньги здесь замешаны. Рано или поздно кладбище снесут. Причем скорее рано...

— Так что, все дело в деньгах? — оживилась Надежда.

— Нет, — снова вздохнул сторож. — Не в деньгах, а в больших деньгах! Очень больших!

— Но тогда не расстраивайтесь раньше времени! Кажется, я могу вам помочь.

— Вы? — сторож недоверчиво взглянул на Надежду. — Чем же вы можете помочь?

— Я вам кое-что покажу... Только сначала все же выпьем горячего чаю, а то у меня зуб на зуб не попадает!

В это время ветер разогнал облака, и на небо выкатилась луна. Она была круглая и яркая, как голубой бриллиант. Ее мертвенный свет упал на лицо сторожа... и вдруг это лицо преобразилось.

Следы безжалостного времени куда-то подевались. Рядом с Надеждой стоял человек без возраста. Тот самый, чью фотографию она видела в библиотеке. Только там у него были темные, тщательно уложенные волосы, а в уголке рта зажата сигара...

— Так это вы? — пролепетала Надежда, веря и не веря.

Но он ничего ей не ответил.

Сложив добычу обратно в мешок, золотозубый спрятал его за пазуху и побрел в обратный путь.

Он прошел по темному коридору, пересек ночлежный дом, выбрался из «Вяземской лавры» и двинулся по темным улицам, опасливо оглядываясь по сторонам.

Ему то и дело мерещились какие-то тени, прячущиеся в закоулках и подворотнях, но все это были не больше чем сгустки ночного тумана. А если и правда кто-то прятался в темноте — угрожающий вид золотозубого и его пружинистая походка отпугивали этих обитателей ночи.

Золотозубый уже немного успокоился и подумал, что благополучно доберется до своего угла, как вдруг из очередной подворотни выскользнула гибкая фигура.

— Псст!.. — раздалось в темноте знакомое шипение.

Золотозубый остановился как вкопанный, потом попятился.

Это был тот самый странный тип, с которым он разговаривал около часу назад — в шапке-треухе и драном овчинном полушубке, из-под которого виднелись отутюженные брюки и лаковые штиблеты, со смуглым лицом, словно обожженным нездешним солнцем, и близко посаженными глазами, черными, как два револьверных дула.

— Снова вы, ваше благородие? — проговорил золотозубый странным, тоскливым тоном.

— А ты никак думал, что сумеешь от меня ускользнуть? Ну что, всех своих подельников на тот свет отправил? Как этот матросик говорил — в штаб к Духонину?

— Что вы, ваше благородие! — залебезил золотозубый. — Какие вы ужасти говорите! Разве же я убивец?

— Конечно, убивец! Самый настоящий убивец! А еще вы, Вацлав Казимирович, актер, каких поискать!

— Чтой-то вы такое говорите, ваше благородие? Какой еще Замирович? Вы меня, ваше благородие, с кем-то спутали!

— Не с кем я вас, Вацлав Казимирович, не спутал. Валяете ваньку, работаете под мужичка-простачка, а сами-то не так просты! Вы, Вацлав Казимирович, не из простых, вы из дворян Шяуляйского уезда Виленской губернии.

— Ну, а даже если и так? — золотозубый злобно зыркнул на собеседника. — Даже если так, что с того?

— Ты мне лучше скажи, нашел то, что я велел?

— Веер?

— Тише ты! — шикнул на золотозубого его собеседник и покосился по сторонам. — Так что — нашел?

— Никак нет, ваше благородие!

— Что ж ты? Плохо искал, выходит!

— Я хорошо искал... слуги сперва не хотели ничего говорить, но потом кухарка испугалась и выдала, где у ее господ схрон...

— Я же тебе сказал — меня не интересуют все эти подробности! Говори главное!

— Я и говорю... мы нашли тайник, а в нем — столько всего... брильянты, изумруды... чего только там не было! Известное дело, Юсуповы — самые наибогатые люди...

— Сколько раз тебе повторять — мне не нужны все эти подробности! Главное говори!

— Ну, я же и говорю... шпана эта чуть не передралась из-за камушков, но веера там не было.

— Ты уверен? Может, проглядел? Может, кто-то из этих хануриков припрятал?

— Да нет, что вы, ваше благородие! Я следил... я внимательно следил... да и потом, вот же оно, все, что мы там взяли... а самое главное — кому этот веер нужен? Если бы украшение какое, драгоценность — это да, могли бы и припрятать, но простой веер...

— Сколько тебе говорить — не болтай лишнего! Никакого от тебя проку, одни расходы и хлопоты!

— Ваше благородие, да я старался... — золотозубый всем своим видом изображал смирение, но исподтишка бросал на собеседника взгляды, полные опасливой угрозы.

— Старался, старался! Старатель выискался! Что мне проку от твоего старания? Лишний ты человек, вот что. А с лишними людьми знаешь, что делают?

Таинственный незнакомец сунул руку за пазуху полушубка.

Золотозубый оскалился, нырнул вправо, выхватил из сапога финский нож. Снова скользнув в сторону, взмахнул этим ножом, направив его в бок противнику. Но тот с удивительной ловкостью ускользнул от удара и оказался за спиной у золотозубого.

В то же мгновение в руке у него возникло странное оружие. На первый взгляд это была короткая металлическая палочка, не толще и не длиннее сигары. Но когда незнакомец взмахнул этой палочкой в воздухе, она удивительным образом удлинилась, вытянувшись в целый аршин. Незнакомец снова взмахнул рукой, и стальной прут ударил золотозубого по шее. Тот охнул, споткнулся, однако устоял на ногах, сумел даже развернуться и снова взмахнул ножом. Но противник ударил его стальной палкой по запястью, и нож выпал, сверкнув в отблеске лунного света.

Золотозубый попятился, поскользнулся и упал. Тут же он захрипел, глаза его закатились.

— Никак помер? — удивленно проговорил его противник.

Он наклонился над золотозубым и протянул руку, чтобы проверить его пульс.

В то же мгновение золотозубый молниеносным движением вонзил нож ему в горло.

Его благородие охнул, из раны хлынула темная кровь, колени подогнулись, и он упал на грязный тротуар.

Золотозубый откатился в сторону, поднялся на ноги, отряхнул одежду и проговорил удовлетворенно:

— Вот так-то, ваше благородие! Вы, значит, считали себя очень умным, а на поверку-то вот как оно оказалось! Хорошо смеется тот, ваше благородие, кто смеется последним!

Он вскинул на плечо мешок с добычей и пошел вперед по улице. Но не успел сделать и десяти шагов, как за спиной у него послышался глухой, хриплый лай.

Золотозубый обернулся.

По улице огромными скачками неслось настоящее чудовище — черная собака неправдоподобного размера. Из страшной пасти вылетали клочья пены. Глаза чудовища горели тусклым страшным огнем.

— Свят-свят-свят... — испуганно забормотал золотозубый и мелко, торопливо закрестился.

Чудовище неотвратимо приближалось.

Золотозубый зажмурился — он не верил в реальность происходящего, думал, что чудовищный пес — это порождение его больного сознания или кокаиновый бред.

Но когда снова открыл глаза — гигантская собака никуда не исчезла, более того — она была уже в двух прыжках от него. Убегать было уже поздно, да и бесполезно.

Золотозубый попятился...

В следующее мгновение страшный зверь обрушился на него всем весом, и шейные позвонки золотозубого отвратительно хрустнули.

Надежда притащилась домой и только титаническим усилием воли заставила себя встать под душ. Именно под душ, в ванну лечь она побоялась — так и заснуть можно. У нее даже не было сил что-то съесть, так что она накормила кота и плюхнулась в постель. Через некоторое время Надежда почувствовала рядом теплый пушистый бок и провалилась в глубокий сон без сновидений.

Разбудил ее Бейсик. Он развалился рядом и мел хвостом по ее лицу. Обычно Надежда начинала чихать через две минуты, но тут продержалась гораздо дольше, так что Бейсик даже забеспокоился и стал трогать ее мягкой лапой. Сквозь сон Надежда испугалась, что он выпустит когти, и проснулась.

Оказалось, кот не просто хулиганил, а пытался ее разбудить, потому что звонил телефон.

— Саша? — закричала Надежда в трубку.

Оказалось, что это не муж, а Галка Сизова.

— Надя, Витю выписали, сказали, что все с ним в порядке! — сообщила она.

— С чем вас и поздравляю, — зевнула Надежда.

— Надя, приходи к нам вечером. Ты столько для нас сделала, Виктор хочет тебя лично поблагодарить.

— Вечером исключено, — сообщила Надежда без всякого огорчения. Эта семейка порядком ей надоела. Раз у них все хорошо, пускай теперь сами разбираются. — Вечером муж приезжает из командировки, так что никак не могу, — повторила она.

— Надя, тогда днем забеги, хоть на полчасика. Виктор очень просит! В любое время, мы ведь дома...

Надежда согласилась скрепя сердце. Ведь если она откажется, Галка начнет названивать, чего доброго, еще с мужем их пригласит, а там разговоры начнутся, откроется много лишнего... Нет, этого допустить было никак нельзя.

Договорились на два часа.

Виктор и Галина стояли в прихожей с радостными, просветленными лицами.

— Надя! — воскликнула Галка, сложив руки едва ли не в молитвенном жесте.

— Надюша! — повторил за ней Виктор и порывисто схватил Надежду за руку.

Надежда испугалась было, что он снова взялся за старое, но Виктор только благодарно сжал ее руку и тут же выпустил, попятился и смущенно проговорил:

— Надюша, мы тебе так благодарны, так благодарны...

— Ты не представляешь, как благодарны! — закончила за него Галина. — Если бы не ты...

— Да ладно вам, ребята! — Надежда тоже смутилась. — Да я ничего такого не сделала... да мне самой хотелось во всем этом разобраться, узнать правду...

— Нет, ты нас просто спасла! — перебил ее Виктор. — Если бы не ты, просто не знаю, что бы мы делали. И мы долго думали, что бы тебе такое подарить...

— Да вы что! — Надежда попятилась. — Зачем? Да я просто обижусь!

— Вот мы и думали, что бы такое подарить, чтобы ты не обиделась... но чтобы тебе было приятно...

— И придумали! — снова закончила за мужа Галина, взяла Надежду за руку и подвела к двери гостиной. — Вот! Это вообще не тебе, а твоему коту, но мы знаем, как ты его любишь!

Посреди гостиной стояла кошачья когте-точка.

Нет, это была не просто когтеточка — это был самый настоящий дворец для кошки!

Очаровательный двухэтажный домик с дверью и окошечками, с двускатной крышей и трубой, а рядом с ним — удобная присту-почка, на которой как раз могла поместиться кошка, и лесенка на второй этаж, и чудесная дощечка, обтянутая плотной ворсистой тканью, об которую так удобно точить когти...

Надежде даже самой захотелось поточить когти об эту дощечку, хотя у нее когтей не было.

Да, от такого домика Бейсик придет в восторг! А самое главное — муж его тоже, несомненно, одобрит.

— Ой, какая прелесть! — искренне воскликнула Надежда.

— Тебе понравилось? — обрадовалась Галина. — Мы так рады...

— Понравилось — не то слово! Если бы я была кошкой, я бы отсюда не вылезала!

— Ну, слава богу...

— Но как я это довезу до дома?

— Да проще простого — мы тебе такси вызовем! А сейчас давай чай пить, я торт испекла, по новому рецепту!

— Ох, мне домой пора! — Надежда взглянула на часы. — Скоро муж приедет, а у меня ничего не готово... Извините, ребята, но мне правда нужно ехать!

— Жалко... ну, тогда торт обязательно возьми с собой. Как раз мужа им и угостишь...

— Да? Пожалуй... Он очень любит сладкое... тем более домашнюю выпечку...

Надежда подумала, что может сказать мужу, что сама испекла этот торт, но тут же спохватилась:

— Хотя мне так неудобно!

— Да брось ты, очень даже удобно! Сейчас я тебе его запакую.

Надежда уже стояла перед дверью, когда увидела на тумбочке плоский ключик с красивым брелоком в виде дельфина из голубого стекла, на спине которого было выведено темно-синими буквами: «Вселенная фитнеса». На самом ключике был выбит номер: 94.

— Ох, Галка, ты на фитнес записалась? — с уважением проговорила Надежда. — «Вселенная фитнеса»! Это очень известная сеть! Молодец! А я вот собираюсь, да все никак... руки не доходят, то есть ноги...

— Да нет, это не мое, — ответила Галина, взглянув на ключ. — Сама не знаю, откуда он взялся. Я его в сумке нашла после той истории в ресторане... — при этом неприятном воспоминании на ее лицо набежало облако.

— То есть ключ принадлежал Оксане Корюшкиной? — изумленно протянула Надежда.

— Ну да, наверное... Знаешь, как-то совсем не хочется об этом вспоминать...

— А тогда... тогда можно, я его возьму?

— Да конечно, делай что хочешь!

Виктор помог Надежде погрузить в такси когтеточку, Галина вручила аккуратно упакованный торт, и машина тронулась.

Но на полпути Надежда не выдержала и попросила водителя остановиться перед зданием фитнес-центра.

— Подождите, я недолго...

Она влетела в центр, подошла к турникету и показала дежурной ключик с дельфином:

— Можно пройти?

— Поднесите брелок вот сюда...

Надежда прикоснулась к стеклянной пластинке, на ней вспыхнул зеленый сигнал, и турникет повернулся.

— Проходите, Корюшкина! — проговорила дежурная.

Надежда пронеслась по коридору, вошла в раздевалку, нашла шкафчик под номером девяносто четыре.

Ключик легко вошел в скважину, и дверца открылась.

Надежда заглянула внутрь. На полке лежали аккуратно сложенный спортивный костюм, полотенце, пластиковая сумочка с какими-то дамскими мелочами...

Надежда подняла костюм и увидела под ним голубую пластиковую папку. Так вот что искала киллерша! Вот из-за чего перерыла дом Оксаны! И если бы ключ от шкафчика не выпал из сумки Оксаны, она бы точно догадалась, где искать. Ну надо же...

Надежда взяла папку, закрыла шкафчик и вернулась в такси.

Приехав домой, Надежда первым делом открыла голубую папку. В ней находилось несколько медицинских справок, сколотых скрепкой.

Первые две пожелтели от времени. Судя по датам, это были справки более чем тридцатилетней давности, оформленные в медицинском отделении детского дома номер двадцать четыре. Результаты анализа крови двух мальчиков.

Один из них — Витя Иванов, тысяча девятьсот семьдесят третьего года рождения. Надежда пробежала глазами аккуратные строчки.

Гемоглобин, тромбоциты, РОЭ... ничего особенного, все показатели в норме. Группа крови — четвертая, резус положительный... не самая распространенная, но что в этом необычного?

Почему эту справку так тщательно хранили и так старательно искали?..

Надежда отложила первую справку и взглянула на вторую.

Володя Корюшкин, тысяча девятьсот семьдесят четвертого года рождения. Вот как, знакомый персонаж! Выходит, он детдомовский? Ну и что в этом такого? Все анализы в пределах нормы. Группа крови — первая, резус отрицательный.

Надежда взглянула на следующую справку. Это был результат анализа, необходимого для получения водительских прав. Пациент — Корюшкин Владимир Степанович, год рождения — тысяча девятьсот семьдесят четвертый. РОЭ, гемоглобин, лейкоциты, тромбоциты, группа крови — четвертая, резус положительный.

Надежда схватила первую справку, ту, что была выдана в детдоме. Нет, она не ошиблась. Здесь значилась группа крови — первая, резус отрицательный.

Что же это такое? Группа крови у человека не может измениться. Может быть, это другой Корюшкин? Но фамилия Корюшкин достаточно редкая, да еще и дата рождения совпадает. Но тогда...

Надежда набрала номер адвоката, который занимался делом Галины Сизовой, и договорилась с ним встретиться через час у Вероники Павловны.

В последний момент Надежда сообразила прихватить с собой половину Галкиного торта.

Адвокат рассказал много интересного, потому что у него были связи в полиции и он смог получить кое-какую информацию.

В ходе следствия выяснились интереснейшие вещи.

— Эта история началась около тридцати лет назад, — поведал адвокат, отставив пустое блюдечко из-под торта. — В детском доме номер двадцать четыре воспитывались два мальчика примерно одного возраста. Один из них — Витя Иванов — сменил уже несколько детских домов, и в каждом, как мог, боролся за выживание. Родители бросили его младенцем, он ничего о них не знал, и вообще сомневался в их существовании. Жизнь его, прямо скажем, не баловала, он не ждал от нее ничего хорошего, научился хитрить и изворачиваться, чтобы завоевать место под солнцем. Когда надо — прикидывался робкой овечкой, когда надо — умел показать зубы. Второй мальчик — Володя Корюшкин — был сыном крупного уголовного авторитета. Он оказался в детском доме, потому что отец отсиживал очередной срок, мать умерла, а никаких других родственников у него не было. По вечерам, перед тем как заснуть, Володя Корюшкин хвастался своим легендарным отцом и фантазировал о том, какая замечательная жизнь начнется у него, когда отец выйдет на свободу. Впрочем, ему мало кто верил. Но Витя Иванов внимательно слушал эти рассказы — и в его душе расцветала зависть к удачливому товарищу. Он подружился с Корюшкиным и всячески добивался его расположения в надежде, что со временем ему перепадут крохи от этой замечательной жизни. А потом случилось несчастье. Группу воспитанников двадцать четвертого детдома отправили на автобусную экскурсию в Пушкинские горы. По пути в них врезался потерявший управление КамАЗ. Автобус с детьми перевернулся и загорелся. Почти все ребята погибли. Выжил только один мальчик, и тот сильно обгорел. Когда он пришел в себя в псковской больнице, его первым делом спросили об имени. И мальчик сказал, что он — Володя Корюшкин. Никому не пришло в голову усомниться в его словах. Володя пролежал в больнице довольно долго. Когда он выздоровел, его направили в другой детдом, получше двадцать четвертого. Видимо, это произошло не без влияния его отца. Володя закончил школу, поступил на заочное отделение института, начал работать. И влиятельный отец все время помогал ему то деньгами, то своевременной поддержкой. А потом на его счет положили значительную сумму денег, которая помогла ему начать успешный бизнес...

— Интересная история! — проговорила Надежда. — Только мне кажется, что у этой истории есть обратная сторона.

— Да, и эту сторону мы можем разглядеть с помощью найденных вами документов. Судя по группе крови, под именем Владимира Корюшкина уже много лет благополучно существует совсем другой человек — скорее всего, тот самый Витя Иванов из двадцать четвертого детского дома. Конечно, сейчас мы можем только гадать, что произошло тридцать лет назад на дороге возле Пскова. Возможно, настоящий Володя Корюшкин погиб на месте, а Витя понял, что может воспользоваться этим шансом и изменить свою жизнь. Но может быть, он даже подыграл судьбе и добил раненого товарища...

— Ужас какой! — выдохнула Надежда.

— Повторяю, это всего лишь мои предположения, узнать истину мы уже не сможем. Зато мы можем более-менее достоверно восстановить события последнего времени. Бывшая жена Корюшкина, Оксана, работала в городской организации, связанной с реконструкцией старых жилых и промышленных зданий. К ней в руки попадали обнаруженные в этих зданиях архивы и документы. Среди прочего, к ней попали и архивы двадцать четвертого детдома. Она хотела уже уничтожить все бумаги как не представляющие интереса, но тут увидела среди них медицинскую карту бывшего мужа. Она знала, какая у него группа крови — и вдруг увидела, что в его детдомовской карте указана совсем другая... Оксана поняла, что в ее руках оказалось мощное оружие. Корюшкин при разводе оставил ей квартиру, но денег Оксане не перепало, и теперь она решила, что сможет своими руками восстановить справедливость. Она решила шантажировать бывшего мужа. Корюшкин ужасно испугался. Старые справки ничего не значили для полиции, но если бы они дошли до отца настоящего Володи Корюшкина, который все еще жив и, по слухам, проживает за границей, тот расправился бы с ним безжалостно. Поэтому Корюшкин заплатил бывшей жене некую сумму, хотя и знал, что шантажистам нельзя платить, — со временем их аппетиты только растут, и вопрос нужно решать раз и навсегда. Он связался с наемным убийцей, которому поручил устранить Оксану и уничтожить опасные документы. Киллерша Оксану убила, но документы не нашла. Нашли их вы...

Надежда подумала, что адвокат знает только часть истории.

Видимо, Оксане Корюшкиной так же случайно попала в руки записка Феликса Юсупова, найденная в том же бывшем детском доме номер двадцать четыре, где, по удивительному стечению обстоятельств, какое-то время работал сторожем Илья Сумраков. Оксана поняла, что эта записка содержит какую-то важную тайну, но не сумела ее разгадать и решила продать записку господину Штукенвассеру. Однако довести эту сделку до конца она не смогла, потому что ее опередила нанятая бывшим мужем киллерша.

Что ж, об этом Надежда не собиралась рассказывать дотошному адвокату, эта часть истории его не касалась.

— И что же теперь будет? — спросила она, когда адвокат замолчал. — Неужели Корюшкину это сойдет с рук?

— Ну, я, конечно, передам эти документы кому надо. Для меня важно одно — снять все подозрения с моей клиентки Галины Сизовой, и я это сделаю. Но думаю, что Корюшкин свое получит. И это благодаря вам, Надежда Николаевна.

— Ой, только не надо нигде упоминать мою фамилию! — взмолилась Надежда. — Вероника Павловна, вы мои обстоятельства знаете. Я не хочу, чтобы муж волновался!

— Ничего не слышала, ничего не знаю, тебя вообще в гости не приглашала! — рассмеялась бывшая адвокатша.

Впрочем, бывших адвокатов не бывает...

Прошло три дня, которые были заполнены хозяйственными хлопотами. Сан Саныч когтеточку одобрил, увидев, что Бейсик с упоением осваивает подарок. Кот точил когти, играл с подвешенным меховым шариком, прятался в домике и восседал на верхней площадке в позе сторожащего льва. Надежда сказала, что это подарок супругов Сизовых. У них-де кошка такую красоту сразу забраковала, даже и не взглянула в ту сторону, так чего же зря добру пропадать? Сан Саныч был полностью удовлетворен таким объяснением, так что Надежда лишний раз убедилась, что всегда нужно говорить правду. Ну, или полуправду.

Был выходной, и Сан Саныч на кухне вычесывал кота, что-то ласково ему приговаривая. Надежда гладила рубашки, тихонько работал телевизор. Передавали какие-то местные новости, и Надежда, машинально взглянув на экран, узнала вдруг старую, кое-где проломленную железную ограду, и ряды неухоженных могил с покосившимися крестами, и чахлую прошлогоднюю траву, пробивающуюся между треснувшими каменными плитами. Не может быть!

Она сделала звук погромче.

— ...Старейшее кладбище нашего города, — звучал голос за кадром, — кладбище Святой Екатерины, которое собирались сносить, чтобы выстроить на этом месте элитный жилой квартал, признано историческим памятником. Его будут восстанавливать, отреставрируют часовню восемнадцатого века, а также могилы многих известных людей.

Дальше показали какого-то типа в дорогом костюме, который стал многословно распинаться про наше историческое наследие и тому подобное. Ясно: чиновник, причем крупного ранга, уж больно костюм дорогой.

Надежда выключила телевизор и задумалась. Стало быть, помогли найденные бриллианты. Старик Сумраков употребил их на благое дело. Теперь самое старое кладбище в нашем городе сохранится, не станут тревожить могилы известных людей. А элитный квартал можно и в другом месте построить.

И все это устроила она, Надежда. Если бы она не расшифровала половинку записки, не пошла в библиотеку и не нашла там веер, если бы не поняла, что означают рисунки на веере, и не отправилась на кладбище, не побоялась спуститься с подземелье... в общем, если бы не все это, то «Голубые Звезды» так и остались бы в тайнике и неизвестно сколько бы еще там пролежали. А учитывая грядущую стройку, могли и вообще пропасть или случайно прилипнуть к чьим-то вороватым ручонкам.

Надежда осознала, что чувствовал Александр Сергеевич Пушкин после написания очередного своего шедевра, когда восклицал: «Ай да Пушкин! Ай да...» и так далее.

Надежду обуяла легкая мания величия.

— Какая же я молодец! — сказала она.

Ужасно хотелось с кем-нибудь поделиться. Жаль, что мужу ничего нельзя говорить. А что, если представить всю историю по-другому. Умолчать про убийство, сказать, что помаду нашла случайно, да не она, а Галка. Про деревянного Ибрагима можно рассказать честно, и про веер, и про старика на кладбище, не упоминая ни словом киллершу, растерзанную собакой. В конце концов, пускай муж убедится, что она, Надежда, тоже личность, а не придаток к стиральной машине и пылесосу. Решено, так и сделаем!

— Саша! — крикнула она. — Иди сюда, я хочу что-то тебе рассказать! Что-то важное!

— Я как раз собирался тоже кое-что тебе сказать, точнее, спросить. — Сан Саныч появился на пороге комнаты. — Ты забрала из химчистки мой серый костюм?

— Ой, забыла! — Надежда едва не обожглась утюгом.

— Очень плохо! — нахмурился Сан Саныч. — Потому что завтра приезжают партнеры из Москвы, и мне очень нужен серый костюм!

— Ну, надень другой, синий или светло-серый в полоску...

— Ему сто лет в обед! К тому же серый — самый удачный, я в нем чувствую себя комфортно и уверенно, и переговоры всегда хорошо проходят.

Надежда вспомнила, что так оно и есть.

— Ну извини, совершенно из головы вылетело, — покаянно вздохнула она. — Что-то с памятью стало... Может, витамины попить или уж пускай доктор пропишет лекарство посерьезнее? А то скоро совсем соображать перестану и позабуду все, чему учили в институте.

— Да зачем тебе это помнить? — рассеянно бросил муж, выходя из комнаты. — Ты же работать не собираешься...

«Вот и не скажу ничего, — обиделась Надежда, — и пускай он ничего не узнает. Ему же хуже!»

Литературно-художественное издание
әдеби-көркем басылым

СЕРИЯ «РОКОВОЙ АРТЕФАКТ»

Александрова Наталья Николаевна
ВЕЕР КНЯГИНИ ЮСУПОВОЙ

РОМАН

Редакционно-издательская группа «Жанровая литература»

Зав. группой *М. Сергеева*
Ответственный редактор *М. Тимонина*
Младший редактор *М. Емельянова*
Технический редактор *О. Серкина*
Компьютерная верстка *Е. Коптевой*

Общероссийский классификатор продукции
ОК-034-2014 (КПЕС 2008): — 58.11.1 — книги, брошюры печатные

Произведено в Российской Федерации. Изготовлено в 2020 г.

Изготовитель: ООО «Издательство АСТ»
129085, г. Москва, Звёздный бульвар, дом 21, строение 1, комната 705, пом. I, 7 этаж.
Наш электронный адрес: www.ast.ru
E-mail: zhanry@ast.ru
https://vk.com/janry_ast
https://www.facebook.com/Janry.AST/

«Баспа Аста» деген ООО
129085, г. Мәскеу, Жулдызды гүлзар, д. 21, 1 құрылым, 705 бөлме, пом. 1, 7-қабат
Біздің электрондық мекенжайымыз : www.ast.ru E-mail: zhanry @ast.ru

Интернет-магазин: www.book24.kz
Интернет-дүкен: www.book24.kz
Импортер в Республику Казахстан и Представитель по приему претензий
в Республике Казахстан — ТОО РДЦ Алматы, г. Алматы.
Қазақстан Республикасына импорттаушы және Қазақстан Республикасында
наразылықтарды қабылдау бойынша өкіл «РДЦ-Алматы» ЖШС, Алматы
қ.,Домбровский көш., 3«а», Б литері офис 1. Тел.: 8(727) 2 51 59 90,91
факс: 8 (727) 251 59 92 ішкі 107;
E-mail: RDC-Almaty@eksmo.kz , www.book24.kz Тауар белгісі: «АСТ»
Өндірілген жылы: 2019
Өнімнің жарамдылық; мерзімі шектелмеген.

Подписано в печать 22.09.2020. Формат 84x108^1/$_{32}$.
Гарнитура «Svetlana». Печать офсетная. Бумага газетная. Усл. печ. л. 16,8.
Тираж 2 000 экз. Заказ 6138.

Отпечатано с электронных носителей издательства.
ОАО "Тверской полиграфический комбинат". 170024, Россия, г. Тверь, пр-т Ленина, 5.
Телефон: (4822) 44-52-03, 44-50-34, Телефон/факс: (4822)44-42-15
Home page - www.tverpk.ru Электронная почта (E-mail) - sales@tverpk.ru

book 24.ru

Официальный
интернет-магазин
издательской группы
"ЭКСМО-АСТ"

ISBN 978-5-17-122009-9

9 785171 220099 >

16+

Редакционно-издательская группа
«Жанровая литература»

Что такое востребованная книга?
Ошибаются люди, думающие, будто для массового читателя
писать легче, чем для «элитарного»; как раз наоборот,
сделать то, что будет интересно сотне, гораздо проще, чем
сочинить историю, которая будет интересна ста тысячам.
Мало кто из современных писателей может похвастаться
такой аудиторией, но все к этому стремятся; наша задача как
сотрудников издательства — обеспечивать автору
встречу с «его» читателем.

Наша специализация — «истории».
Увлекательные, хорошо сочиненные и хорошо написанные:
на любой вкус и на каждый день!

Основные направления нашей редакции:
фантастика; остросюжетная проза; современная
сюжетная проза, «мейнстрим»; сентиментальная литература.
Мы издаем бестселлеры и делаем все,
чтобы каждый наш автор нашел своего читателя.

В числе наших авторов —
Борис Акунин, Пауло Коэльо, Анна Гавальда, Януш Леон
Вишневский, Павел Санаев, Полина Дашкова,
Сергей Минаев, Дмитрий Глуховский, Екатерина Вильмонт,
Наталья Нестерова, Юрий Поляков, Юрий Вяземский,
Эдуард Тополь, Данил Корецкий, Елена Михалкова,
Сергей Тармашев, Роман Злотников, Елена Колина,
Виктория Платова, Анна Малышева, Наталия Левитина,
Юлия Шилова, Наталья Андреева, Наталья Солнцева,
Татьяна Луганцева, Слава Сэ, Марта Кетро, Анатолий Тосс,
Анна Старобинец, Татьяна Соломатина и многие другие
российские и мировые знаменитости. Мы издаем наследие
Аркадия и Георгия Вайнеров, Аркадия и Бориса Стругацких,
Иоанны Хмелевской и Владимира Орлова.

Наш адрес — https://www.facebook.com/Janry.AST